BERLITZ®

RO/\E

D0727096

Une publication des Guides Berlitz

14e édition (1991/1992)

Mise à jour: 1991, 1989, 1986, 1985, 1983, 1982, 1980, 1978

Comment se servir de ce guide

- Tous les conseils et toutes les informations utiles avant et pendant votre voyage à Rome sont regroupés sous le titre général de *Berlitz-Info,* page 103.

- L'introduction, *Rome et les Romains* (p. 6), évoque la Ville éternelle et l'ambiance qui y règne.

- Pour en savoir plus, lisez *Un peu d'histoire,* page 12.

- Tous les monuments et les sites à découvrir sont décrits dans le chapitre *Que voir,* de la page 22 à la page 83; une série d'excursions vous est présentée de la page 83 à la page 91.

- Sélectionnés selon nos propres critères, les centres d'intérêt à voir absolument vous sont signalés par le petit symbole Berlitz.

- Après le *Calendrier des festivités* (p. 92), vient la section *Que faire* (pp. 93–96), où nous vous donnons des indications sur les distractions et les achats.

- *Les plaisirs de la table* font un tour d'horizon des spécialités culinaires de la capitale.

- Un index (pp. 126–128) vous permettra de vous y retrouver en un clin d'œil.

Texte établi par: Christina Jackson et Jack Altman
Adaptation française: Jacques Schmitt
Maquette: Max Thommen
Photographie: couverture, pp. 9, 13, 18–19, 44–45, 87, 88–89, 94–95 Daniel Vittet; pp. 2–3, 6, 10, 16, 22–23, 31, 33, 35, 36–37, 38, 40, 43, 52–53, 55, 57, 60–61 PRISMA; pp. 7, 41, 69 Strawberry Media; pp. 47, 48, 65, 76, 77, 81 Herbert Fried; pp. 59, 67, 70–71, 73, 99, 100 Walter Imber.

    Nous remercions particulièrement Don Larrimore et Christine Curchod, ainsi que Francesco Casertano de l'EPT à Rome, de leur aide précieuse.
Cartographie: Falk-Verlag, Hambourg; p. 51 Max Thommen.

Sommaire

Rome et les Romains		6
Un peu d'histoire		12
Repères historiques		21
Que voir		22
	Rome moderne et Rome Renaissance	27
	La Rome classique	49
	La cité du Vatican	59
	Les églises	74
	Les musées	79
	Excursions	83
Calendrier des festivités		92
Que faire	Les distractions	93
	Les achats	93
Les plaisirs de la table		96
Berlitz-Info	Comment et quand y aller	103
	Pour équilibrer votre budget...	105
	Informations pratiques	106
Index		126

Cartographie	Rome	24–25
	Le Forum	51
	Rome et environs	85

Bien que l'exactitude des informations présentées dans ce guide ait été soigneusement vérifiée, elle n'en est pas moins subordonnée à des fluctuations temporelles. Aussi ne saurions-nous assumer de responsabilité pour des modifications de faits, de prix, d'adresses et d'autres éléments sujets à variations. Nos guides étant remis à jour régulièrement, nous examinerons volontiers toutes les remarques dont nos lecteurs voudraient bien nous faire part.

Rome et les Romains

Chaque jour, en se rendant à leur travail, ils passent devant des temples en ruine, des arcs de triomphe et des aqueducs sans détourner le regard. Ils ne sont pas surpris qu'un palais Renaissance puisse se greffer sur un amphithéâtre antique, les colonnes du temple de Minerve supporter un sanctuaire dédié à la Vierge, ni de grandioses basiliques fleurir sur les ossements de martyrs morts il y a près de 2000 ans. Les Romains ne sont pas blasés, ils n'y font tout simplement plus attention! Pas plus qu'ils ne songent, lorsqu'ils jettent leur mégot dans des poubelles frappées du sigle SPQR – *Senatus Populusque Romanus* (le Sénat et le peuple de Rome) –, qu'il s'agit de l'une des plus anciennes devises démocratiques du monde; des initiales qui, si elles désignent aujourd'hui les biens municipaux, ornèrent jadis les glorieux étendards des légions.

Pourtant, au fond de leur cœur, ils savent apprécier le cadre merveilleux dans lequel ils vivent, cette Rome éternelle qui ne cesse d'attirer des millions de visiteurs.

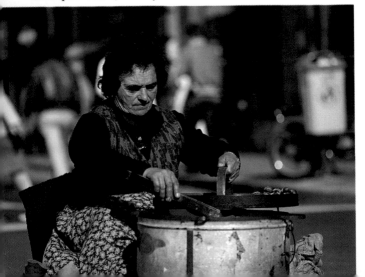

Le secret de Rome réside dans l'ineffable alliage du spirituel et du temporel, de l'art et de l'architecture, de l'histoire, du mythe et de la légende, qui unit les vingt-sept siècles du passé en un présent harmonieux. On peut déplorer le vacarme de la circulation, les voitures stationnant en triple file dans les rues étroites et massées sur les pentes de l'Aventin. Mais c'est une cité trépidante, vivante, et la capitale d'un pays de 57 millions d'habitants. Elle refuse de se considérer comme une simple pièce de musée ou de laisser le pouvoir et l'autorité émigrer dans le faubourg méridional de l'EUR, avec ses longues avenues vides et ses ministères ultramodernes.

Les édiles font de leur mieux pour que les principaux sites demeurent des oasis de paix. Quelques marches à monter et vous quitterez le tumulte pour la sérénité classique du Capitole, un enchantement la nuit surtout, quand les lumières tamisées éclairent les gracieuses façades de Michel-Ange. Quoi de plus paisible que les ruines envahies par l'herbe du Forum et du

Des marrons chauds en hiver pour les acheteurs de la Porta Portese.

Palatin, les jardins du Caelius ou du Pincio; quoi de plus apaisant que le silence respectueux des grandes églises et des musées.

Etalée dans une plaine onduleuse, la Campagna, à mi-parcours de la péninsule, Rome est à cheval sur le Tibre, dont les méandres serpentent à travers vignobles et oliveraies, pâturages et garrigue jusqu'à la mer Tyrrhénienne à quelque 24 km au sud-ouest.

L'agglomération proprement dite s'étend sur 1507 km^2 et compte 3 millions d'habitants. Mais l'ancienne enceinte qui englobe les sept collines du centre historique *(centro storico)* ne couvre que quatre pour cent de cette superficie. Pour réduite qu'elle soit, elle n'en renferme pas moins quelque 300 palais et 280 églises, les vestiges de la Rome républicaine et impériale, de nombreux parcs et jardins, la résidence du président de la République italienne, le Parlement et les ministères, sans parler d'innombrables banques, entreprises, hôtels, magasins, restaurants et bars.

Cela fait du monde! Mais les Romains prennent la vie avec une bonne humeur caractéristique; le mot d'ordre ici est: *pazienza* (patience). Une qualité qui n'est nulle part démontrée plus admirablement que dans les autobus. Bravant une masse de corps apparemment impénétrable, les voyageurs se fraient tranquillement un chemin jusqu'aux portes de sortie avec un *mi scusi* par-ci et un *permesso* par-là.

Protestataires, gesticulateurs impénitents, inoffensifs brocardeurs, ils fêtent à coups de klaxon une victoire au football, chuchotent irréligieusement à la messe, se protègent religieusement du soleil et choyent leurs enfants: les Romains vivent et aiment la vie pleinement.

De prime abord, Rome vous paraîtra peut-être aussi désordonnée et déconcertante que les pièces éparpillées d'un puzzle. Mais à force d'explorer à pied le dédale des étroites rues pavées, vous en viendrez à vous dire, débouchant sur une place ensoleillée ou devant un monument historique: «Tiens, je m'y reconnais!» Une pièce du puzzle aura trouvé sa place.

Au point de vue architectural, Rome s'apparente aussi à un puzzle, puisqu'elle allie dif-

Toute la grâce de la Rome classique dans la pose d'une vestale.

8

férents styles représentant chacune des phases de son histoire. Les façades ocre, les fontaines fantaisistes et les églises resplendissantes appartiennent principalement aux époques Renaissance et baroque, mais elles ont pour fondations – et pour matériaux – la pierre des cités antique et médiévale. Le Colisée surtout fut longtemps mis à contribution.

Au cours de ses 2700 ans d'histoire, Rome a tour à tour connu une gloire sans égale et le pire avilissement. Sous Jules César et Auguste, ses armées allèrent conquérir un empire, mais quand des hordes barbares forcèrent les portes en vagues successives, il ne fut pas enregistré une seule action héroïque. Sous les papes, Rome régna de nouveau par sa beauté. La ville demeure aujourd'hui encore le témoin de son propre accomplissement intellectuel et artistique et du rôle inappréciable qu'elle joua dans le développement de la civilisation occidentale.

En tant que centre spirituel et temporel de l'Eglise catholique, Rome accueille un flot ininterrompu de pèlerins. Des séminaires et des instituts catholiques ont surgi dans toute la ville. Ici, prêtres, moines et religieuses de tous ordres font partie intégrante du décor.

A Rome, faites comme les Romains: respectez la sieste et la *passeggiata* (promenade) vespérale. Dans la torpeur du début de l'après-midi, une nette somnolence s'empare de la ville; magasins et bureaux ferment, chacun rentre chez soi pour déjeuner et se reposer. La vie ne reprend ses droits que dans la fraîcheur du soir; il semble alors que la population tout entière descende dans la rue pour flâner. Rejoignez tous ces gens. Puis, comme eux, attardez-vous dans une trattoria agréable et savourez les copieuses délices de la cuisine romaine.

Rome ne s'est pas faite en un jour... prenez donc le temps de la visiter et laissez-vous imprégner par son atmosphère. Ce n'est pas nécessairement un monument qui laissera une empreinte dans votre souvenir, mais peut-être simplement une impression d'ensemble, chaleureuse, attachante. Que vous ayez jeté ou non une pièce dans la fontaine de Trevi, vous reviendrez, comme tout le monde. Ce n'est qu'un «au revoir». *Arrivederci, Roma!*

Priorité aux piétons dans les rues populeuses avoisinant le Corso.

11

Un peu d'histoire

Une légende pieusement entretenue affirme que Rome fut fondée par Romulus, engendré, avec son frère jumeau Rémus, par Mars dans le sein d'une vestale et abandonné avec lui sur le mont Palatin pour être allaités ensemble par une louve. Les historiens admettent que l'emplacement et la date traditionnelle de la fondation (753 av. J.-C.) sont à peu près exacts.

Les archéologues ont en outre établi que le site fut occupé à l'âge du bronze (vers 1500 av. J.-C.) et que, dès le VIIIᵉ siècle av. J.-C., des villages s'étaient créés sur le Palatin et l'Aventin et peu après au sommet de l'Esquilin et du Quirinal, tous endroits facilement défendables et proches d'un gué du Tibre.

Après avoir vaincu leurs voisins les Sabins, les Romains firent fusionner les divers villages en une seule ville, qu'ils entourèrent d'un mur de défense, tandis que les marécages au pied du mont Capitolin étaient asséchés pour faire place au Forum. Sous l'autorité de sept rois, les trois derniers étrusques, Rome commença de gagner en importance dans l'Italie centrale.

La République

Une révolte de nobles romains en 510 av. J.-C. renversa le dernier roi étrusque et établit une république qui allait durer cinq siècles. A ses débuts, la jeune république, gouvernée par deux consuls patriciens, fut en proie aux affrontements de factions patriciennes et plébéiennes. Mais la plèbe imposa ses propres chefs, les tribuns, afin de préserver ses intérêts; ainsi renforcée intérieurement, Rome commença à étendre son influence.

En 390 av. J.-C., les Gaulois assiégèrent la ville pendant sept mois, détruisant tout à l'exception de la citadelle du Capitole. Les Gaulois partis, les courageux habitants s'attelèrent à la reconstruction, ceignant cette fois leur ville d'une imposante muraille. Huit siècles durant, jusqu'à l'arrivée des barbares, aucun envahisseur étranger ne devait ouvrir une brèche dans ces murs. Rome étendit alors sa domination sur l'ensemble de la péninsule, consolidant son emprise grâce à six grandes routes militaires – l'Appia, la Latina, la Salaria, la Flaminia, l'Aurelia et la Cassia –, toutes convergeant vers la cité à la manière des rayons d'une roue. Vers 250 av. J.-C., Rome comptait 100 000 habitants.

L'emblème de Rome rappelle la légende des jumeaux Romulus et Rémus qu'une louve a allaités.

La victoire sur Carthage au terme des guerres puniques (264–146 av. J.-C.) et les conquêtes en Macédoine, en Asie Mineure, en Espagne et dans le sud de la Gaule étendirent la puissance romaine jusqu'au pourtour de la Méditerranée. Quand Hannibal, franchissant les Alpes, envahit l'Italie au cours de la deuxième guerre punique, de vastes régions de la péninsule furent dévastées et les paysans cherchèrent refuge à Rome.

Le peuple romain se vit alors confronté à de nouveaux problèmes sociaux et économiques. Le gonflement démographique, le manque d'emplois, la crise du logement et l'insuffisance des projets de travaux publics provoquèrent des troubles. De violentes guerres civiles ébranlèrent la république, qui finit par faire place à la dictature. Le proconsul Jules César, qui s'était acquis du renom en soumettant la Gaule et l'Angleterre, franchit le Rubicon, rivière marquant la limite de sa province, et marcha sur Rome pour s'emparer du pouvoir.

L'Empire

Les réformes de César, tenant à l'écart le Sénat pour lutter contre le «chômage» et alléger les impôts, lui valurent de redoutables ennemis. Son assassinat aux ides de mars, en 44 av. J.-C., conduisit à une cruelle guerre civile et au gouvernement despotique de son fils adoptif Auguste, qui devint le premier *imperator*. Sous Auguste, la *pax romana* régna à travers le vaste empire. Pour faire de Rome une capitale digne de ce nom, il l'accrut de beaux édifices publics, de thermes, de théâtres, de temples et de magasins. Il organisa aussi les services publics (dont le premier corps de sapeurs-pompiers). Ce fut l'âge d'or des lettres latines, se signalant par des génies tels que Virgile, Ovide, Tite-Live, Tacite et Horace.

Les premiers siècles de l'Empire virent affluer à Rome des dizaines de milliers d'étrangers, au nombre desquels figuraient les chrétiens, dont saint Pierre et saint Paul. A mesure que la nouvelle religion gagnait du terrain, les empereurs tentaient de la réprimer par la persécution; mais la constance des martyrs ne fit qu'accroître son attrait.

Chacun des successeurs d'Auguste contribua à sa façon à l'embellissement de Rome. A la suite d'un désastreux incendie qui ravagea la ville en 64 apr. J.-C., Néron la fit reconstruire – il se dota d'un fastueux palais, la Domus Aurea (Maison dorée), sur l'Esquilin. Hadrien rebâtit le Panthéon, éleva un mausolée monumental à son intention (Castel Sant'Angelo) et se retira dans son magnifique domaine, à Tivoli.

A la fin du Ier siècle et au IIe, Rome atteignit l'apogée de sa grandeur, avec une population comptant plus d'un million d'habitants. Toutefois, des défauts inhérents au système impérial allaient affaiblir la puissance des empereurs et conduire à la chute de l'Empire.

Après la mort de Septime Sévère en 211, vingt-cinq empereurs régnèrent dans un court laps de temps: 74 ans. La plupart finirent assassinés. Quant aux Romains, ils ne furent épargnés ni par le feu ni par les épidémies. En 283, le Forum fut presque entièrement détruit par les flammes, perdant à jamais sa splendeur.

A la suite d'une apparition de la sainte croix sur le champ de bataille, l'empereur Constantin se convertit au christianisme; il l'érigea en religion d'Etat en 313 et fit construire les premières églises et basiliques à Rome. Mais en 331, il porta un coup fatal à l'unité de l'Empire lorsqu'il en transféra le siège à Constantinople. Beaucoup de nobles et de riches, ainsi que des artistes et des artisans talentueux, le suivirent, une hémorragie dont la vieille capitale ne se remit jamais.

Le Moyen Age
Au temps du déclin de l'empire d'Occident, les Romains enrôlèrent des barbares dans les légions afin d'aider à sa défense contre d'autres intrus. Mais les mercenaires ne tardèrent pas à se joindre aux assaillants et le peuple romain, las et désillusionné, ne put s'armer d'assez d'ardeur pour défendre la cité.

Pillant, violant et assassinant, les barbares redoutés déferlèrent en vagues successives – Alaric le Wisigoth en 410, Attila le Hun, les Vandales et les Ostrogoths. Finalement, le chef barbare Odoacre contraignit le dernier empereur romain, Romulus Augustule, à abdiquer en 476. L'empire d'Occident croulant touchait à sa fin. (L'empire d'Orient dura jusqu'à la prise de Constantinople par les Ottomans en 1453.)

Au VIe siècle, Justinien annexa de nouveau l'Italie à son empire byzantin et codifia le droit romain sous la forme du système judiciaire de l'Etat. Mais, en même temps que les derniers empereurs byzantins s'en désintéressaient, une nouvelle puissance surgit du chaos à Rome: la papauté. Au VIIIe siècle, alléguant un document, la «Donation de Constantin» (un faux, en réalité), les papes revendiquèrent l'autorité politique sur toute l'Italie.

Rome n'était plus alors qu'un village, dont la faible population se retranchait dans les marécages du Tibre, quand les envahisseurs barbares coupèrent les aqueducs

impériaux. Recherchant le puissant soutien des Francs, le pape Léon III sacra leur roi, Charlemagne, souverain du Saint-Empire romain (en fait surtout germanique), dans la basilique Saint-Pierre le jour de Noël de l'an 800. Mais le pape dut à son tour faire serment d'allégeance, et cet échange de bénédictions spirituelles à des fins de protection militaire sema le germe de futurs conflits entre les papes et les empereurs.

Au cours des quatre siècles suivants, l'Italie subit les invasions des Sarrasins et des Magyars, des Saxons et des Normands (qui mirent Rome à sac en 1084), la Rome papale n'étant qu'une des nombreuses cités-Etats de la péninsule assaillie à se défendre tant bien que mal. La papauté, et Rome par la même occasion, était dominée par diverses familles puissantes. Dès 1095, les papes entraînèrent toute la noblesse d'Europe dans une longue série de croisades visant à libérer la Terre sainte de l'Islam. Rome sombrant dans le chaos – que Dante pleura dans la *Divine Comédie* –, les papes se résolurent à un exil doré en Avignon en 1309, demeurant sous la protection du roi de France pendant 68 ans. Rome fut livrée à l'autorité brutale des familles Orsini et Colonna. L'idéologue autodidacte Cola di Rienzo prit la tête d'une révolte populaire en 1347 et, s'intitulant tribun de Rome, gouverna pendant une brève période de sept mois avant d'être chassé par la noblesse.

La Renaissance
Réinstallés à Rome en 1377, les papes réprimèrent durement toute résistance à leur autorité et maintinrent leur domination dans la ville durant 400 ans. Malgré tout, aux XVe et XVIe siècles, la papauté devint aussi un insigne protecteur de la Renaissance, cette extraordinaire floraison d'entreprises artistiques et intellectuelles qui de la Rome médiévale fit glorieusement la première cité de la chrétienté.

Ce fut Giorgio Vasari, artiste médiocre mais excellent chroniqueur de cette explosion culturelle, qui la qualifia de *rinascita* ou renaissance des splendeurs du passé gréco-romain de l'Italie. Qui plus est, elle s'avéra, avec l'humanisme de Léonard de Vinci et de Michel-Ange et le réalisme politique de Machiavel, mar-

Toute l'histoire de Rome imprègne la merveilleuse piazza Navona.

quer la naissance des temps modernes.

Véritable inspirateur de l'apogée de la Renaissance, le pape Jules II (1503–1513) commença la nouvelle basilique Saint-Pierre, commanda à Michel-Ange la peinture de la voûte de la chapelle Sixtine et à Raphaël la décoration des Stanze. L'architecte Donato Bramante fut surnommé *maestro ruinante* à cause de tous les monuments anciens qu'il démolit pour satisfaire la folie des grandeurs du pape. C'est à Jules II encore que l'on doit la création de la magnifique collection de sculpture antique du Vatican.

La vie brillante de la Rome renaissante fut brutalement anéantie en mai 1527 par les troupes mutinées de l'envahisseur, l'empereur Charles Quint. Ce devait être l'ultime sac de la ville, et le pire.

La contre-réforme
Entre-temps, la situation de la papauté et les doctrines de l'Eglise catholique romaine se voyaient contestées par Luther et Calvin. La contre-réforme, officiellement proclamée en 1563, renforça le tribunal de l'Inquisition chargé de combattre l'hérésie et l'Index destiné à soumettre les arts à la censure. Les protestants s'enfuirent et les juifs furent confinés dans un ghetto.

L'art s'avéra un important instrument de propagande en faveur de la contre-réforme. A mesure que l'Eglise regagnait du terrain, il substitua aux influences païennes du classicisme une vision plus triomphale, incarnée par le grandiose autel baroque du Bernin à Saint-Pierre.

Au XVIIIᵉ siècle, l'autorité exercée par l'Espagne sur de nombreux Etats de l'Italie

Le monument de Victor-Emmanuel glorifie l'unité de l'Italie.

passa aux mains des Habsbourg. La papauté perdit de son prestige avec la suppression forcée des jésuites et la paralysante baisse de ses revenus due aux réformes ecclésiastiques de ces souverains.

En 1798, les armées de Napoléon entrèrent à Rome et proclamèrent la République. Elles traitèrent sans respect le vieux Pie VI et l'emmenèrent en France en quasi-captivité. Son successeur, Pie VII, fut contraint de sacrer Napoléon empereur et à son tour fut fait prisonnier; il ne retourna à Rome qu'après l'abdication de Napoléon, en 1814. Mais, durant l'occupation française, un sentiment nationaliste s'était fait jour chez les Italiens, qui protestèrent contre le rétablissement de l'autorité autrichienne.

Beaucoup attendaient du **19**

pape Pie IX qu'il prît la tête de ce mouvement nationaliste, mais celui-ci craignit l'expansion du libéralisme et hésita. En 1848, lorsque Mazzini instaura une république nationaliste à Rome, le pape fuit la ville. Il ne revint que l'année suivante, après que la république eut été abattue.

L'unité nationale fut réalisée, pour la majeure partie de l'Italie, en 1860 grâce à l'habileté diplomatique de Cavour, premier président du Conseil, aux faits d'armes du révolutionnaire Giuseppe Garibaldi et à l'autorité de Victor-Emmanuel II, roi du Piémont. Les nationalistes prirent Rome en 1870 et en firent la capitale du royaume d'Italie l'année suivante. Le pape Pie IX se retira au Vatican et se déclara «prisonnier de la monarchie».

L'époque moderne

La Première Guerre mondiale vit l'Italie du côté des vainqueurs, contre l'Autriche et l'Allemagne. Mais, la paix signée, un désordre général sur le plan politique entraîna une crise économique, caractérisée par le marasme de la production, des fermetures de banques et un chômage croissant. Menacé par la «marche sur Rome» des fascistes en 1922, le roi Victor-Emmanuel III se soumit en invitant leur chef, *il Duce* Benito Mussolini, à former un gouvernement.

Une fois solidement installé au pouvoir, Mussolini fit la paix avec le pape par les accords du Latran de 1929, qui créèrent un Etat du Vatican indépendant et conservèrent au catholicisme le rôle de religion nationale. A l'invasion de l'Ethiopie en 1936 et à la proclamation de l'Empire italien succéda, après l'effondrement de la France en 1940, l'engagement de l'Italie aux côtés de l'Allemagne dans la Seconde Guerre mondiale.

Les Alliés débarquèrent en Sicile en juin 43 et progressèrent vers le nord. Rome fut déclarée ville ouverte afin de lui épargner les bombardements et libérée en 44 sans que ses trésors aient souffert. Mussolini fut exécuté par des partisans italiens alors qu'il fuyait vers la Suisse.

En juin 1946, l'Italie vota au cours d'un référendum l'abolition de la monarchie et l'établissement d'une république démocratique. Son adhésion à la CEE lui ouvrit de nouveaux débouchés et suscita l'espoir de faire bénéficier aussi du «miracle économique» d'après-guerre le Sud plus démuni que le Nord.

Repères historiques

Les premiers temps	753 av. J.-C.	Fondation légendaire de Rome.
	510	Etablissement de la République.
	390	Sac de la ville par les Gaulois.
	264–146	Guerres puniques contre Carthage.
	49	Prise du pouvoir par Jules César.
	44	Assassinat de César à Rome.
L'Empire	27 av. J.-C.	Auguste, premier *imperator*.
vers	64 apr. J.-C.	Persécution des chrétiens.
	312	Conversion de Constantin.
	331	Constantinople, capitale impériale.
Le Moyen Age	410	Sac de Rome par les Wisigoths.
	440–461	Léon Ier assoit l'autorité papale.
	476	Fin de l'empire romain d'Occident.
	800	Charlemagne sacré à Saint-Pierre.
	1084	Sac de Rome par les Normands.
	1309–1377	Exil des papes à Avignon.
La Renaissance et la contre-réforme	1508–1512	Michel-Ange peint la voûte de la chapelle Sixtine.
	1527	Sac de Rome par les impériaux.
	1798–1809	Napoléon entre dans Rome et établit la République.
Le Risorgimento	1814	Le pape et l'autorité autrichienne sont rétablis.
	1848	Révolte des nationalistes italiens.
	1861	Unification de l'Italie.
	1871	Rome, capitale de l'Italie.
L'époque moderne	1915	L'Italie entre dans la Grande Guerre.
	1922	Marche sur Rome de Mussolini.
	1929	Les accords du Latran créent un Etat du Vatican indépendant.
	1940	Seconde Guerre mondiale: l'Italie s'allie à l'Allemagne.
	1944	Les Alliés libèrent Rome.
	1946	La République remplace la monarchie.

Que voir

Entre ses sept collines, tout autour, et le long des berges du Tibre, Rome présente diverses personnalités: la Rome antique des vestiges de l'Empire; la Rome catholique du Vatican et des églises; la ville Renaissance de Michel-Ange et Raphaël; le baroque du Bernin et de Borromini; et une métropole moderne avec d'interminables embouteillages, des boutiques et des cafés chics, mais aussi des usines et des gratte-ciel. Aucune n'est aisément séparable des autres. La Ville éternelle est un tout.

Mais il s'agit d'une grande ville et, lors d'une première visite, vous seriez bien avisé de commencer par un tour d'orientation en car. Toutes les grandes agences de voyages

---

L'essentiel

Ceux qui ne font qu'un bref séjour à Rome se devront de voir:

Le Forum romain
Le Capitole
Le Colisée
La basilique Saint-Pierre
Les musées du Vatican
L'escalier de la Trinité-des-Monts
La fontaine de Trevi
La piazza Navona
Le Panthéon

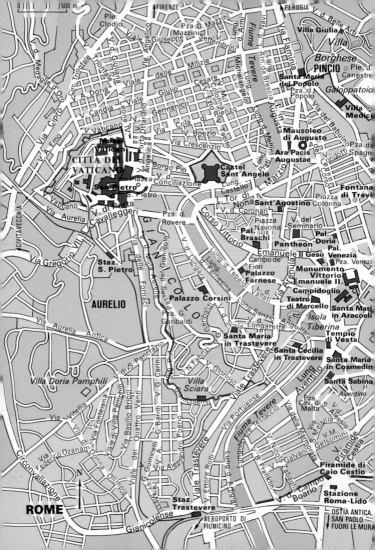

Préserver pour la postérité

Le fait d'être exposé aux intempéries, aux séismes et à l'incendie n'a guère causé plus de dégâts au patrimoine historique et artistique de Rome depuis 2000 ans que les effets des gaz d'échappement dans l'espace de quelques décennies. Le degré de pollution au centre de la ville est considéré comme le plus élevé en Europe. Alarmée, la municipalité a entamé un programme intensif de restauration, combiné avec l'interdiction aux véhicules de circuler dans les endroits sensibles.

Aussi les places déclarées zones piétonnes sont-elles devenues des havres de paix, les bâtiments noircis sont-ils systématiquement nettoyés, tandis que colonnes et statues antiques disparaissent sous des échafaudages et des bâches en résille verte.

Des musées sont fermés temporairement aux fins de restauration *(restauro)*, un terme générique qui recouvre les problèmes budgétaires, le manque de personnel ou de systèmes modernes de sécurité, aussi bien qu'une authentique, et indispensable, réfection.

Ne soyez donc pas déçu si vous ne pouvez accéder à certains des trésors de Rome. Vous aurez peut-être plus de chance la prochaine fois.

organisent quotidiennement des circuits des principaux monuments, commentés par des guides polyglottes. Habituellement, ces circuits durent environ trois heures et le réceptionniste de votre hôtel peut s'occuper de la location.

Quant au reste, vous devriez voir Rome à pied. Pratiquement tous les grands monuments se trouvent à distance raisonnable l'un de l'autre, ce qui n'empêche qu'il vous faudra plusieurs jours pour faire le tour des plus marquants d'entre eux. Dans ce guide, nous avons regroupé les endroits pouvant être le plus commodément visités au cours du même circuit.

Un mot au sujet des heures d'ouverture des musées et des sites historiques. Se tenir au courant de tous les changements est un cauchemar. Le meilleur conseil que nous puissions vous donner est de vérifier à l'office du tourisme ou à l'hôtel, ou bien dans les journaux, afin d'éviter toute déception. Partez du principe qu'en général la plupart des musées ferment le lundi et que beaucoup ne sont ouverts que jusqu'à 13 ou 14 heures. Les églises ferment à midi et rouvrent dans l'après-midi. En pleine saison, les horaires sont plus étendus.

Rome moderne et Rome Renaissance

La Rome de Michel-Ange et du Bernin est aussi celle des modernes Italiens. Elle naquit à l'emplacement de ce qui fut, à l'époque romaine, le Campus Martius, situé dans une boucle du Tibre. Paradoxalement, ce quartier aujourd'hui le plus peuplé était jugé inhabitable par les anciens Romains en raison de fréquentes inondations. Situé à l'extérieur des premiers murs de la ville, le «Champ-de-Mars» était l'endroit où les légions faisaient l'exercice, où les ambassadeurs étaient reçus et les empereurs incinérés; sous la République, il devint un lieu public de divertissement. Des temples, des thermes, des théâtres et des stades il reste peu de vestiges, et l'impression que vous conserverez sera associée à des places conçues comme des décors de théâtre, de splendides fontaines et des palais Renaissance rose vif du temps de l'apogée des papes.

Autour de la piazza Venezia

A la différence de beaucoup de villes italiennes, Rome n'a pas pour cœur une grand-place. A l'époque romaine, la vie avait pour centre le Forum, mais avec le développement de la ville médiévale, puis Renaissance, d'innombrables places surgirent, dispersées dans toute la ville, chacune ayant des prétentions à la supériorité.

Le centre nerveux, du moins pour la circulation, ne peut être que la **piazza Venezia**. Quatre grandes artères, la via del Corso, la via dei Fori Imperiali, la via Nazionale et la via del Teatro di Marcello, convergent vers cet espace découvert dominé par le volumineux **monument de Victor-Emmanuel** (il Vittoriano). Honorant le premier roi de l'Italie unifiée avec l'inimitable emphase du XIXe siècle, cet édifice d'éblouissant marbre blanc à la pompeuse colonnade reçut un accueil hostile quasi unanime et d'ironiques surnoms tels que le «gâteau de mariage», le «dentier de Rome» ou la «machine à écrire». Mais par sa taille, ce point de repère s'avère infiniment utile pour se reconnaître dans la ville. Le Soldat inconnu de 14-18 repose ici.

Le **palazzo Venezia**, du début de la Renaissance, est pour certains le plus beau palais de la Rome chrétienne. Couronné de créneaux et percé de fenêtres cintrées, cet édifice aussi sévère qu'élégant **27** fut construit pour le cardinal Pietro Barbo, le futur pape Paul II. Par la suite, il servit d'ambassade à la république de Venise et plus récemment de cabinet particulier à Mussolini. Son bureau se trouvait dans l'angle le plus éloigné de la vaste sala del Mappamondo, afin d'intimider les visiteurs qui devaient parcourir toute sa longueur pour s'approcher de lui. Un minuscule balcon duquel *il Duce* haranguait ses partisans surplombe la place. Le palais renferme maintenant un beau musée d'armes, de mobilier, de tapisseries, de céramique et de sculpture du Moyen Age et de la Renaissance.

Deux escaliers montent derrière le monument de Victor-Emmanuel. Celui qui est en pente douce et le plus gracieux, dit la Cordonata, passe entre deux statues romaines plus grandes que nature des divins jumeaux, Castor et Pollux, pour aboutir à la sobre élégance du **Capitole** *(Campidoglio)*, en haut du mont Capitolin, le site le plus sacré de la Rome antique.

Symboliquement, cette superbe place en trapèze de Michel-Ange tourne le dos au Forum et à la Rome païenne pour faire face à la «nouvelle» Rome chrétienne et à Saint-Pierre. Une **statue équestre de Marc-Aurèle** en bronze doré orne normalement le centre. Cette belle figure barbue à la chevelure frisée échappa à la destruction au cours des siècles parce qu'elle passait pour représenter Constantin, premier empereur chrétien. Après avoir subi de longs travaux de restauration destinés à soigner le «cancer du bronze» corrodant le métal, la statue devrait être remplacée par une copie et l'original exposé aux musées du Capitole. Au fond de la place s'élève le **palazzo Senatorio** du XVIe siècle, maintenant l'Hôtel de Ville.

Le palazzo Nuovo et le palazzo dei Conservatori, de part et d'autre de la place, abritent les collections des **musées du Capitole**. Dans des salles somptueusement décorées, aux plafonds à caissons dorés et aux murs ornés de fresques, est présentée une exposition de sculptures exhumées des ruines de la Rome antique. Arrêtez-vous devant la poignante statue du **Gaulois mourant** et le bronze à la pose incomparable représentant un jeune garçon s'arrachant une épine du pied. Dans une niche octogonale sur le côté de la galerie de sculpture figure la sensuelle **Vénus du Capitole**,

Une pléiade d'artistes

Voici, parmi la foule d'artistes et d'architectes qui contribuèrent à la splendeur de Rome, quelques noms que vous rencontrerez à tout bout de champ, et des exemples de leurs œuvres «romaines».

Arnolfo di Cambio (vers 1245–1302). Architecte et sculpteur gothique. *Statue de saint Pierre à la basilique Saint-Pierre, tabernacle à Saint-Paul.*

Le Bernin, Gian Lorenzo Bernini, dit (1598–1680). Le principal représentant de l'art baroque. *Colonnade de la place Saint-Pierre, baldaquin de Saint-Pierre, fontaine des Quatre Fleuves, palazzo Barberini...*

Borromini, Francesco (1599–1667). Architecte baroque, collaborateur et plus tard grand rival du Bernin. *Palazzo Barberini, Sant'Agnese in Agone.*

Bramante, Donato di Angelo (1444–1514). Architecte et peintre. Principal architecte de la Renaissance à son apogée. *Projet initial de la basilique Saint-Pierre, cour du Belvédère au Vatican.*

Canova, Antonio (1757–1822). Le plus célèbre sculpteur de l'école néo-classique. *Statue de Pauline Borghèse à la galerie Borghèse.*

Le Caravage, Michelangelo Merisi, dit (1573–1610). Le plus grand peintre italien du XVIᵉ siècle. *Crucifiement de saint Pierre et Conversion de saint Paul à Santa Maria del Popolo.*

Maderna, Carlo (1556–1629). Architecte. *Il termina la façade et la nef de Saint-Pierre, palais pontifical à Castel Gandolfo.*

Michel-Ange, Michelangelo Buonarroti, dit (1475–1564). Peintre, sculpteur et architecte, un des hommes les plus marquants de l'histoire de l'art. *Voûte de la chapelle Sixtine, Moïse à San Pietro in Vincoli, dôme et Pietà de la basilique Saint-Pierre, place du Capitole.*

Il Pinturicchio, Bernardino di Betto, dit (vers 1454–1513). Peintre. *Fresques à la chapelle Sixtine, Santa Maria del Popolo, Santa Maria in Aracoeli et appartements Borgia.*

Raphaël, Raffaello Sanzio, dit (1483–1520). Peintre et architecte de la Renaissance à son apogée. *Stanze au Vatican, chapelle Chigi à Santa Maria del Popolo, la Fornarina au palazzo Barberini.*

Valadier, Giuseppe (1762–1839). Archéologue, urbaniste et architecte. *Jardins du Pincio, piazza del Popolo.*

Le premier mont Capitolin

Pour les Romains, le Capitole était à la fois citadelle et sanctuaire, le centre symbolique du gouvernement, où les consuls prêtaient serment et où était frappée la monnaie de la République. Son nom, maintenant appliqué à de nombreux Parlements à travers le monde, provient d'une légende voulant que le crâne d'un héros mythologique ait été exhumé à cet endroit lors du creusement des fondations du temple de Junon. Les augures l'interprétèrent comme le signe que Rome serait un jour à la tête (*caput*) du monde.

Quand les Gaulois mirent Rome à sac en 390 av. J.-C., le Capitole fut sauvé par les cris opportuns des oies sacrées du sanctuaire qui avertirent que des assaillants escaladaient les rochers.

Plus tard, c'est ici qu'aboutit le défilé triomphal des Césars victorieux. Ils venaient en char tiré par des coursiers blancs depuis le Forum pour se prosterner au magnifique temple doré de Jupiter, qui dominait le sommet méridional du mont Capitolin.

Au Moyen Age, les temples écroulés furent pillés et le mont fut abandonné aux chèvres jusqu'à ce qu'au XVIe siècle, le pape Paul III commandât à Michel-Ange de lui rendre sa splendeur.

une copie romaine d'après un original grec datant du IIe siècle av. J.-C. Elle a survécu jusqu'à nos jours grâce à un amateur d'art qui la mura dans une cache pour la protéger des fureurs iconoclastes des premiers chrétiens. La pièce la plus fameuse des musées est sans conteste la **Louve du Capitole**, un bronze étrusque du Ve siècle av. J.-C., devenue l'emblème de Rome. Les petits Romulus et Rémus qu'elle allaite furent ajoutés à la Renaissance par Pollaiuolo. La tête, la main et le pied de géant que l'on voit dans l'une des cours proviennent d'une statue de l'empereur Constantin. Visitez sur les lieux la **pinacothèque** (*pinacoteca Capitolina*) pour admirer d'importantes œuvres de l'école vénitienne dues à Bellini, à Titien, au Tintoret, à Lotto et à Véronèse.

Du bout de la rue longeant le palazzo Senatorio, on aperçoit le Forum romain.

Le second escalier, plus abrupt, du Capitole mène à **Santa Maria in Aracoeli**, austère église du XIIIe siècle, située sur l'emplacement du grand temple de Junon Mo-

La piazza del Campidoglio, cœur serein d'une Rome harmonieuse.

neta, où la Sibylle prédit à Auguste la venue du Christ. L'église abrite le curieux **Bambino**, auquel certains attribuent un pouvoir miraculeux. A Noël, *Il Bambino* est placé au centre de la crèche! Dans la première chapelle à droite de la nef, des fresques de Pinturicchio relatent l'histoire de saint Bernardin de Sienne.

Le Corso

Cette artère d'un kilomètre et demi de long, plus exactement la via del Corso, se déroule en ligne droite de la piazza Venezia à la piazza del Popolo. Elle tire son nom des folles courses de chevaux barbes sauvages *(corsa dei barberi),* jadis principale attraction du carnaval romain. Bordée de magasins, de palais et d'églises, cette rue est toujours très vivante.

Sur la **piazza Colonna**, la colonne de Marc-Aurèle, décorée d'une volute de bas-reliefs illustrant les succès militaires de l'empereur, se dresse devant le cabinet du Premier ministre logé dans le palais Chigi. Quelque 200 marches conduisent, à l'intérieur de la colonne creuse, jusqu'à la statue de saint Paul au sommet, qui remplaça au XVIe siècle le bronze de l'empereur philosophe existant à l'origine.

Sur la **piazza Montecitorio** adjacente, que domine un obélisque égyptien du VIe siècle av. J.-C., est située la Chambre des députés *(Camera dei deputati),* une des deux assemblées législatives d'Italie, occupant un palais dessiné par le Bernin pour le compte de la famille Ludovisi.

Quittez le Corso pour les berges du Tibre et la visite de l'**Ara Pacis Augustae**, entouré d'une construction de verre. Les fragments de cet «autel de la paix», destiné à célébrer les victorieuses campagnes d'Auguste en Gaule et en Espagne, furent découverts en 1568, puis dispersés dans plusieurs musées avant d'être restitués lorsque débuta la reconstitution. Sur la frise qui figure un cortège, on distingue Auguste lui-même, avec sa femme Livie et sa fille Julie, son ami Agrippa parmi la foule.

A côté, le tertre verdoyant entouré de cyprès est le **mausolée d'Auguste**, réceptacle des cendres des Césars jusqu'au moment où Hadrien fit construire son propre mausolée – devenu le château Saint-Ange (voir p. 62).

A son extrémité nord, le Corso aboutit à l'harmonieux ovale de la **piazza del Popolo**, dessinée par Giuseppe Valadier et réalisée de 1816 à

1820. L'obélisque du centre, remontant à l'Egypte de Ramsès II (XIIIe siècle av. J.-C.), fut apporté à Rome par Auguste et dressé dans le Circus Maximus. Le pape Sixte Quint le fit transplanter ici en 1589.

Même le trafic ne peut distraire un vieux Romain de sa lecture.

La place tire son nom de l'église Renaissance de **Santa Maria del Popolo**, construite sur le site de la tombe de Néron afin d'exorciser son spectre passant pour hanter ces lieux. L'intérieur, transformé à l'époque baroque, doit son renom à ses œuvres d'art. Elles comprennent une exquise fresque de la Nativité par Pinturicchio et la chapelle Chigi de Raphaël, bâtie en guise de mausolée pour la famille du richissime banquier florentin et protecteur des arts, Agostino Chigi. Dans la chapelle Cerasi, à gauche du chœur, figurent deux puissantes toiles du Caravage, la *Conversion de saint Paul* et le *Crucifiement de saint Pierre,* remarquables par l'utilisation dramatique de l'ombre et de la lumière ainsi que par la maîtrise de la perspective.

A côté de l'église, la **porta del Popolo** du XVIe siècle, en forme d'arc, marque l'entrée **33** de la Rome antique au terme de la via Flaminia, qui partait de Rimini, sur la côte adriatique. Les pèlerins arrivant à Rome par cette porte étaient accueillis par les imposantes églises baroques jumelles de Santa Maria dei Miracoli et Santa Maria in Montesanto, gardant l'accès du Corso du côté sud de la place.

Au-dessus de la place, vers l'est, on atteint par un monumental ensemble de terrasses les jardins du **Pincio**, d'où se découvre une vue enchanteresse de la ville, surtout au coucher du soleil, quand les toits se teintent de pourpre et d'or. Œuvre de Valadier également, les jardins sont situés sur l'emplacement qu'occupait au Ier siècle av. J.-C. la villa de Lucullus.

Les jardins s'étendent jusqu'à se confondre avec le parc au tracé plus irrégulier de la **villa Borghèse**, autrefois propriété du cardinal Scipione Borghese, neveu du pape Paul V. Ce vaste domaine renferme la galerie Borghèse (voir p. 79) logée dans l'ancien palais du cardinal et un zoo au nord.

Bordée de pins et de cafés en plein air, la promenade du Pincio passe devant la **villa Médicis**, bâtie en 1544 et achetée par Napoléon pour abriter l'Académie de France.

Autour de la piazza di Spagna

Rendez-vous de la bohème à une certaine époque, la **piazza di Spagna** est maintenant le cœur du quartier commerçant le plus élégant de Rome, qui s'étend jusqu'au Corso.

La **fontana della Barcaccia**, une fontaine de marbre en forme de barque faisant eau à jamais au centre de la place, fut dessinée par le père de l'illustre Bernin. Depuis la place, l'**escalier de la Trinité-des-Monts** (*scalinata della Trinità dei Monti*) superpose majestueusement ses trois paliers, au-dessus desquels s'élève l'église française de la Trinità dei Monti aux clochers jumeaux. Du haut de l'escalier, on jouit d'une superbe vue à travers toute l'étendue de Rome, par-dessus une multitude de terrasses débordantes de verdure et de fleurs.

L'escalier fut imaginé par un diplomate français, Stéphane Gouffier, et réalisé un demi-siècle plus tard, en 1721, par les architectes Francesco de Sanctis et Alessandro Specchi. Il est maintenant hanté en

Du Pincio, la vue s'étend de la piazza del Popolo à la basilique Saint-Pierre par-delà le Tibre.

permanence par les amoureux et des marchands de colifichets et de fleurs. Mais les touristes ordinaires et les Italiens aussi se plaisent à y lézarder. Sur l'escalier donne la fenêtre de la pièce où le poète anglais John Keats mourut en 1821. Le second étage de sa maison, conservé en l'état, forme le **mémorial Keats-Shelley**.

Le vénérable **salon de thé Babington**, vestige du temps où les lords anglais apparaissaient en équipages, aux XVIIIe et XIXe siècles, durant leur «grand tour» d'Europe, propose un aristocratique thé l'après-midi et de copieux petits déjeuners à l'anglaise.

Plus intrinsèquement romain, le **Caffè Greco**, le plus ancien café de la ville (1760), se trouve tout près, dans la via Condotti. Les murs de ce véritable petit musée disparaissent sous les portraits dédicacés, les bustes et les statues, témoignant de la célébrité de quelques-uns de ses habitués: Goethe, Byron, Baudelaire, Liszt, Gogol et Fellini.

La **fontaine de Trevi** *(fontana di Trevi),* cachée derrière

Les places sont gratuites sur les marches de la Trinità dei Monti.

Jeter une pièce dans la fontaine de Trevi ne perd rien de sa magie.

d'étroites ruelles, est un monument extravagant hors de proportion avec sa minuscule place. La stupéfiante fontaine du XVIIIᵉ siècle de Nicola Salvi est en fait un arc de triomphe et la façade d'un palais (le vieux palazzo Poli). Une massive figure de Neptune, montée sur un coquillage, est tirée par des chevaux marins, le coursier cabré symbolisant le tumulte de l'océan et un autre plus paisible sa sérénité. Il vous faudra peut-être jouer des coudes dans la foule, même tard le soir quand la fontaine est illuminée, pour y jeter une pièce par dessus votre épaule afin d'être sûr de revenir à Rome. Les gamins des rues imaginent toutes sortes de ruses pour subtiliser une partie des sommes considérables recueillies par la municipalité de Rome.

Le **palazzo del Quirinale**, à l'allure de forteresse, qui couronne la plus haute des sept collines primitives de Rome, fut autrefois la résidence d'été des papes fuyant les marais insalubres du Vatican au bord du Tibre. Ce palais vit les hommes de Napoléon enlever un pape (Pie VI) et en arrêter un autre (Pie VII), tandis qu'un troisième (Pie IX) prit la fuite devant les révolutionnaires en 1848. Après 1870, il hébergea le roi d'Italie et c'est maintenant le palais présidentiel.

La place, où de magnifiques statues de Castor et Pollux flanquent un obélisque antique, offre une vue panoramique de la ville du côté de Saint-Pierre.

Symbole de la *dolce vita*, la **via Veneto** a été plus ou moins désertée par ses starlettes et ses *paparazzi*, mais les cafés, les magasins et les hôtels restent aussi chers.

Autour de la piazza Navona

Arrêtez-vous à un café de la plus paisible des places publiques, la **piazza Navona**. Nulle part à Rome le spectacle de la rue italienne ne se goûte plus agréablement. Cette place allongée fut aménagée vers l'an 90 par l'empereur Domitien sous forme de stade, le *Circus Agonalis,* et la tradition sportive se perpétua au Moyen Age avec des tournois de joute. Le XVIIe siècle la dota de son sublime décor.

Jusqu'en 1867, elle fut le théâtre de curieuses fêtes nautiques en juillet et août: on laissait déborder les fontaines jusqu'à ce que la place fût inondée, puis, au son des orchestres, l'aristocratie faisait rouler dans l'eau ses carrosses dorés. Aujourd'hui, les édiles la sauvegardent en la décrétant zone piétonne.

Dominant la place, assise sur un socle rocailleux et surmontée d'un obélisque, la **fontaine des Quatre Fleuves** *(fontana dei Fiumi)* célèbre les grands fleuves du monde – le Rio de la Plata (Amérique), le Danube (Europe), le Gange (Asie) et le Nil (Afrique). Les Romains qu'enchante le dédain du Bernin pour ses rivaux insinuent que le dieu du Nil se voile la face pour ne pas **39** voir l'église de **Sant'Agnese in Agone**, de Borromini, et que le dieu du fleuve d'Amérique se protège au cas où elle s'écroulerait. En réalité, la fontaine fut achevée plusieurs années avant la façade et la coupole splendides de Borromini, d'une exécution irréprochable.

La **via dei Coronari**, la vieille rue des fabricants de rosaires, est maintenant celle des antiquaires ruineux. Là s'élève l'énorme et sombre palais Lancellotti, berceau d'une grande famille de l'aristocratie. En 1870, quand les troupes italiennes occupèrent Rome, le prince fut si irrité qu'il ferma à clef sa porte cochère, laquelle ne fut pas rouverte avant que les accords du Latran de 1929 ne scellent la réconciliation de l'Eglise et de l'Etat.

Le **Panthéon**, sur la piazza della Rotonda, a la particularité d'être le monument le mieux conservé de la Rome antique – il fut converti en

église au VIIe siècle – et rivalise avec le Colisée par sa sobre élégance alliée à la puissance de la masse. Son constructeur (vers 120), l'empereur Hadrien, réalisa une prouesse technique avec la magnifique coupole à caissons (plus grande que celle de Saint-Pierre) dont le diamètre intérieur est exactement égal à sa hauteur, soit 43 mètres. S'il

La statue du Bernin durera, le portrait est tristement éphémère.

subsiste la signature du bâtisseur initial, Marcus Agrippa (27 av. J.-C.), l'estampille de chaque brique n'en révèle pas moins sur l'édifice le sceau d'Hadrien.

Le portique est supporté par 16 colonnes monolitiques de granit rose et gris. Les ferrures en bronze qui embellissaient autrefois l'entrée furent enlevées par le pape Urbain VIII, de la famille Barberini, pour fabriquer le baldaquin du maître-autel de

Saint-Pierre. Son geste inspira ce dicton: *«Quod non fecerunt barbari, fecerunt Barberini»* («Ce que même les barbares ne firent pas, les Barberini le firent»). Un rais de lumière éclaire le monument dépourvu de fenêtres par l'orifice circulaire *(oculus)* ménagé dans la coupole, qui laisse aussi passer la pluie.

Ce «Temple de tous les dieux» contient aujourd'hui les tombeaux Renaissance de Raphaël et de l'architecte Baldassare Peruzzi, et ceux des rois de l'époque moderne Victor-Emmanuel II et Humbert Ier. Les massives portes de bronze subsistent, mais le revêtement de marbres précieux a été depuis longtemps ôté des murs extérieurs et les tuiles de bronze doré furent emportées par l'empereur byzantin Constant II lorsqu'il visita Rome en 655.

Au sud de la piazza Navona, le **campo de'Fiori** (Champ de Flore) accueille un marché bruyant, animé et... alléchant. L'après-midi, une fois démontés les éventaires et les bâches aux couleurs vives, les militants politiques se pressent au pied de la statue du moine et philosophe Giordano Bruno. L'Inquisition le fit brûler vif à cet endroit en 1600 pour avoir eu l'absurdité de penser que l'univers était infini et comptait bien d'autres galaxies que la nôtre.

Une mort plus illustre encore eut lieu au voisinage immédiat, piazza del Biscione. Le restaurant Da Pancrazio est construit sur les fondations du théâtre de Pompée où Jules César fut poignardé en 44 av. J.-C.

Pour des raisons de sécurité, le grand public ne peut plus visiter le **palazzo Farnese**, qui abrite l'ambassade de France depuis 1871. Antonio da Sangallo le Jeune, Michel-Ange et Giacomo della Porta collaborèrent tous à ce magnifique palais Renaissance, commencé en 1515 pour le cardinal Alessandro Farnese, le futur pape Paul III. Seuls quelques privilégiés entrent pour voir les prodigieuses fresques d'Annibale Carrache dans la salle à manger de gala. La France de paie qu'un loyer symbolique d'une lire par an.

Piazza Farnese, où la circulation automobile est interdite la nuit, le seul bruit que vous entendrez est celui de l'eau rejaillissant dans les vasques en granit d'Egypte transportées des thermes de Caracalla pour en agrémenter les deux fontaines Farnese.

Entre le pont Sant'Angelo et le palais Farnèse, des mai-

Dix-huit siècles nous contemplent.

sons anciennes sont tassées le long de ruelles aux noms singuliers tels que via dei Cappellari (rue des Chapeliers), via dei Balestrari (fabricants d'arbalètes), via dei Chiavari (serruriers) et via del Pellegrino, par laquelle les pèlerins de l'Année sainte passaient pour se rendre à Saint-Pierre.

Des rues étroites au sud-est du Campo de'Fiori conduisent au vieux **ghetto**. Le quartier juif bouillonne de vie en tout temps, mais particulièrement à l'heure de la *passeggiata* vespérale. On y **43** trouve quelques-uns des meilleurs restaurants et des soldes les plus avantageux de Rome. Les juifs furent un élément constant de la vie romaine pendant plus de 2500 ans, mais ils se virent confinés dans un ghetto au XVIe siècle par le pape Paul IV. Une petite communauté juive existe toujours autour de la via del Portico d'Ottavia. La colossale synagogue (1904) au bord du fleuve communique avec un musée d'histoire juive.

Probablement la plus séduisante de Rome, la **fontaine des Tortues** *(fontana delle Tartarughe)* du XVIe siècle, sur la piazza Mattei, présente une parfaite petite scène. Quatre jeunes garçons en bronze montés sur des dauphins soulèvent quatre tortues jusqu'à la vasque de marbre d'un geste gracieux de leur bras tendu.

Un porche croulant vieux de plus de 2000 ans, le Portico d'Ottavia, dédié à la sœur

d'Auguste, commande le ghetto. Au-delà s'étend le **théâtre de Marcellus** *(teatro di Marcello)*, commencé par Jules César et dont l'architecture servit de modèle au Colisée. Ses arcades superposées disposées en demi-cercle furent incorporées au palazzo Savelli-Orsini au XVIe siècle.

Les ménagères difficiles achètent chaque jour des produits frais au vivant marché du Campo de' Fiori.

Le ponte Fabricio, le plus ancien pont de Rome (62 av. J.-C.), relie la rive gauche à l'**isola Tiberina**, une petite île au milieu du fleuve. Trois siècles avant la naissance du Christ, l'île fut consacrée à Esculape, dieu de la médecine, à qui furent dédiés un temple et un hôpital. Il existe encore de nos jours un hôpital dont s'occupent les frères de Saint-Jean-de-Dieu. Un second pont, le ponte Cestio, transformé au XIXe siècle, conduit à la rive droite du Tibre et au Trastevere (voir p. 46).

L'Aventin
Comptant au nombre des sept collines primitives de Rome, l'Aventin demeure un quartier résidentiel favorisé, à l'abri des bruits de la ville.

Sur le bord occidental s'élève la basilique dominicaine de **Santa Sabina**, préférée à tant d'autres églises de la ville pour sa pureté de lignes. Elle fut construite sur l'emplacement du palais d'une patricienne romaine qui se convertit au christianisme sous l'influence de son esclave grecque et subit le martyre au temps d'Hadrien. Sous le portique, les vieilles portes en bois de cyprès admirablement sculptées sont protégées contre le vandalisme et les graf-

45

fiti par une vitre. En face, on peut voir à travers une fenêtre circulaire le descendant d'un oranger planté par saint Dominique il y a 700 ans.

Quelques pas plus loin, jetez un coup d'œil par le **judas** de la porte du jardin de la villa des Chevaliers de Malte *(Cavalieri di Malta),* pour jouir de loin d'une vue insolite du dôme de Saint-Pierre, s'encadrant parfaitement à l'extrémité d'une allée d'arbres.

Située au pied de l'Aventin, à proximité du Tibre, **Santa Maria in Cosmedin** est un bijou d'église servant à la communauté grecque de Rome. Son extérieur roman et son intérieur dépourvu d'ornement favorisent une piété sans affectation. Le portique abrite un masque grotesque antique sculpté dans le marbre, désigné du nom de **Bocca della Verità** (Bouche de la Vérité), qui a pu être autrefois le couvercle d'un puits. Les pèlerins du Moyen Age croyaient que quiconque mentait en ayant sa main dans la bouche béante se ferait trancher les doigts d'un coup de dents. Des reproductions de toutes tailles sont en vente à l'église.

De l'autre côté de la rue, deux des temples les plus ravissants et les mieux conservés de Rome ornent une étendue d'herbe près du Tibre. Le temple circulaire en marbre à colonnes cannelées, dit par erreur **temple de Vesta** à cause de sa ressemblance avec celui du Forum, fut probablement dédié à Hercule. Le rectangulaire, appelé **temple de la Fortune**, passe maintenant pour être celui de Portunus, dieu des ports.

Jetez un coup d'œil pardessus la berge du Tibre pour apercevoir, près du pont du Palatin, l'orifice de la Cloaca Maxima, l'égout collecteur de la Rome antique.

Au sud de l'Aventin, près de la porta San Paolo, il faut visiter le **cimetière protestant**, d'une sereine beauté, où repose Keats. L'unique pyramide de Rome, incorporée dans les murs de la ville, domine le cimetière. Un préteur romain, Caius Cestius, se la fit construire en guise de tombeau en 12 av. J.-C. à son retour d'Egypte où il était en poste.

Le Trastevere

Un quartier surpeuplé, bruyant et gai, au sud du Vatican, le Trastevere (littéralement, «de l'autre côté du Tibre»), est depuis longtemps réputé pour être le plus populaire de Rome. Ici, les gens

Ces tortues, piazza Mattei, connaîtront-elles les joies du bain?

ordinaires, qui se considèrent comme les premiers habitants, maintiennent les traditions et les coutumes anciennes. Faites-vous un devoir de vous promener dans les étroites rues pavées, le long des maisons vieillottes et décrépies aux balcons fleuris, pour apprécier le côté authentique de la vie urbaine, qu'illustrent en juillet, au bord du fleuve, les flonflons et les feux d'artifice de la fête en plein air des *Noiantri* («Nous autres»).

L'atmosphère est maintenant quelque peu abâtardie par une certaine classe de gens chic venant s'installer – et faisant grimper les loyers. Mais les vrais *Trasteverini* se cramponnent, surtout dans le secteur avoisinant immédiatement **Santa Maria in Trastevere**, une des plus vieilles églises de la ville. Il se peut que **47**

Santa Maria in Trastevere commande un quartier vivant et authentique.

sa fondation (à l'endroit où une source d'huile aurait jailli comme un présage de la naissance du Christ) remonte au IIIᵉ siècle, mais l'édifice actuel fut l'œuvre, vers 1140, du pape Innocent II, lui-même enfant du Trastevere. Une merveilleuse mosaïque dénotant l'influence byzantine, qui représente la Vierge trônant avec Jésus, orne la voûte de l'abside. Les mosaïques dorées de la façade sont éclairées la **48** nuit.

Avant de pénétrer dans l'église de **Santa Cecilia in Trastevere**, arrêtez-vous dans la cour pour admirer la façade baroque d'un jaune tirant sur le roux et le clocher roman tutélairement penché. Le maître-autel enclôt la sereine statue de marbre de sainte Cécile telle qu'elle gisait dans son cercueil, sans que son corps fût décomposé, quand le sculpteur Stefano Maderno la vit en 1599. A droite de la nef se trouve sa chapelle, sur l'emplacement du *caldarium* romain où la sainte patronne de la musique fut emprisonnée et ébouillantée. On paie pour descendre dans la crypte, un dédale de salles voûtées et de couloirs conservant des fragments de vieilles colonnes romaines et le sarcophage de sainte Cécile.

La Rome classique

Le noyau de la Rome classique se situe autour du Colisée, avec le Forum au nord-ouest et les thermes de Caracalla au sud. Ne soyez pas intimidé – même les spécialistes les mieux informés ont du mal à interpréter ces restes monumentaux. Le mystère lui-même fait plus de la moitié du charme de ces vestiges d'un monde aboli. Même sans être un mordu de l'archéologie tenant à connaître la signification de chaque pierre, il vaut la peine de rêver une heure ou deux parmi les débris de l'Empire et de se demander si les Champs-Elysées, Piccadilly, la Cinquième Avenue ou la place Rouge auront meilleur aspect dans 2000 ans.

Le Forum romain
(Foro romano)

Par un enivrant effort d'imagination, une fois au milieu des colonnes, des arcs et des portiques du Forum romain, vous pourrez vous figurer le cœur de la grande cité impériale, la première en Europe à abriter un million d'habitants.

Les sept collines

Les sept collines primitives de la Rome républicaine furent:

Le **Palatin**. Berceau de la ville, autrefois couvert de palais, maintenant un champ de ruines.

Le **Capitole**. Ancienne citadelle, transformée en une place Renaissance par Michel-Ange.

L'**Esquilin**. Autrefois place forte des Sabins, emplacement de la Maison dorée de Néron située sur la crête méridionale, dominé au nord par la basilique de Santa Maria Maggiore.

Le **Caelius**. Secteur de maisons patriciennes, maintenant occupé par des vestiges, des jardins et des églises.

Le **Quirinal**. La plus haute des collines, que couronne la résidence du président.

Le **Viminal**. Secteur bâti près des thermes de Dioclétien.

L'**Aventin**. Du temps de l'Empire, et encore maintenant, un quartier résidentiel.

Encerclée par le Palatin, le Capitole et l'Esquilin, drainée par une canalisation souterraine, la Cloaca Maxima, la dépression du Forum devint peu à peu le centre civil, commercial et religieux de la ville en développement. Sous les empereurs, elle atteignit une splendeur sans précédent, avec le marbre blanc et les toits dorés des constructions étincelant au soleil. Après l'invasion des barbares, l'endroit fut abandonné. Séisme, incendie, inondation et pillage de la part des barbares et des architectes de la Renaissance le réduisirent à l'état d'herbage fangeux jusqu'au moment où des fouilles entreprises au XIXe siècle remirent au jour nombre des édifices antiques. Mais l'herbe pousse toujours entre les pavés fendus de la Voie Sacrée et les coquelicots fleurissent parmi les éboulis de marbre.

Des cassettes-guides peuvent être louées à l'entrée (dans la via dei Fori Imperiali), à moins que vous ne préfériez vous diriger seul parmi le Forum. Mais tout d'abord, asseyez-vous sur un fragment de marbre au milieu des ruines et orientez-vous à l'aide d'un plan pour repérer le tracé des édifices et mettre de l'ordre dans la confusion apparente.

Commencez la visite à l'extrémité occidentale, immédiatement en contrebas du palazzo Senatorio du Campidoglio (voir p. 28). En levant les yeux, vous verrez comment les arcades du greffe romain *(Tabularium)* ont été incorporées à l'arrière du palais Renaissance. Et d'ici vous pourrez parcourir du regard toute la longueur de la **Sacra Via** (Voie Sacrée), qu'empruntait le défilé triomphal des généraux victorieux jusqu'au pied du mont Capitolin.

Ensuite, pour contrebalancer cette image de conquérants attachée aux Romains, tournez-vous vers la sévère **Curie** (siège du Sénat) rectangulaire bâtie en brique, dans l'angle nord-ouest du Forum. Vous pourrez contempler ici par les portes de bronze (copies des originaux qui sont maintenant à Saint-Jean-de-Latran, voir p. 75) le «vénérable ancêtre de tous les Parlements», où les sénateurs, vêtus de simples toges blanches, discutaient des affaires de la République et de l'Empire. Il est bon de se rappeler que les principes du droit romain, qui servent de base à la plupart des systèmes juridiques occidentaux, furent d'abord débattus dans cette humble salle.

La Curie fut construite sous

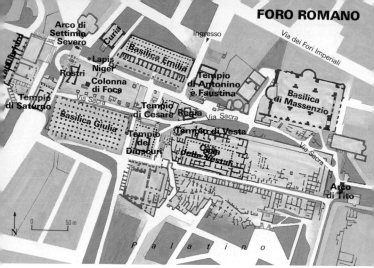

sa forme actuelle par Dioclétien en 303 et autrefois revêtue de marbre. L'église qui la recouvrait fut démolie en 1937 afin de laisser voir le sol ancien orné de motifs géométriques en marbre rouge et vert, les gradins sur les côtés où s'asseyaient les sénateurs romains et le socle de brique de la statue dorée de la Victoire au fond. La Curie abrite deux grands bas-reliefs, qui représentent en marbre la silhouette des anciens édifices du Forum.

Devant la Curie, un abri de béton protège l'emplacement souterrain du **Lapis Niger** (généralement fermé au pu-

blic), un dallage de marbre noir couvrant le tombeau légendaire de Romulus, fondateur de la ville. A côté, une stèle brisée, portant la plus ancienne inscription latine connue, remonterait à six siècles av. J.-C.; nul ne l'a encore entièrement déchiffrée.

Le triple **arc de Septime Sévère** *(arco di Settimio Severo),* qui domine cette extrémité du Forum, évoque les victoires militaires en Orient de cet empereur du IIIe siècle, qui alla ensuite faire campagne jusqu'en Ecosse et mourut à York (anciennement Eburacum). Tout près, la large tribune des orateurs, ou **Rostres, 51** de laquelle Cicéron et Marc Antoine haranguèrent la foule, s'étend en travers du Forum. Son nom provient des éperons *(rostra)* de fer, pris aux navires ennemis à la bataille d'Antium en 338 av. J.-C., qui la décoraient autrefois. Deux points à chaque extrémité des Rostres ont une signification particulière: l'Umbilicus Urbis Romae, marquant traditionnellement le centre de Rome; et le Miliarium Aureum (Borne d'or), qui indiquait jadis en lettres d'or les distances en milles de Rome aux provinces de l'Empire.

Dominant le forum des mondanités, la **colonne de Phocas** *(colonna di Foca)* fut érigée en l'honneur de l'empereur byzantin qui fit don du Panthéon au pape Boniface IV.

Huit hautes colonnes debout sur un soubassement au pied du Capitole appartiennent au **temple de Saturne** *(tempio di Saturno)*, un des premiers temples de Rome. Il fut à la fois la trésorerie de l'Etat et le lieu des réjouissances orgiaques de décembre appelées Saturnales.

Au Forum, la Voie sacrée est délimitée par des colonnes brisées.

52

De la **basilique Julia**, l'actif tribunal d'antan, seuls subsistent le dallage et quelques-uns des arcs et des pilastres de travertin. Il en reste moins encore de la basilique Æmilia, du côté opposé de la Sacra Via, détruite par les Goths en 410.

Trois minces colonnes, le soubassement et une partie de l'entablement indiquent le **temple de Castor et Pollux** *(tempio dei Dioscuri)*. Il fut dédié à ces fils jumeaux de Jupiter (les Dioscures) après leur apparition sur le champ de bataille au lac Régille pour ranimer les Romains contre les Latins et les Etrusques.

Il vous faudra chercher l'**autel de Jules César**, caché dans un renfoncement en demi-cercle du temple de César divinisé *(tempio di Cesare)*. Le 19 mars 44 av. J.-C., la foule en deuil, suivant le cortège funèbre de César jusqu'au lieu de crémation sur le Campus Martius, dressa à l'improviste un bûcher avec des chaises et des tables, et brûla le cadavre à cet endroit.

Faites une halte poétique à la **maison des Vestales** *(casa delle Vestali)*, qu'entourent de gracieuses statues dans le cadre paisible d'une roseraie et de vieilles vasques rectangulaires, à nouveau remplies d'eau. Dans le **temple de Vesta** *(tempio di Vesta)* en marbre blanc, de forme circulaire, le feu sacré préservant l'Etat romain était entretenu par six vestales, vierges observant depuis l'enfance et trente années durant le vœu de chasteté sous peine d'être enterrées vives au cas où elles le rompraient. Elles étaient surveillées par le grand pontife, ou Pontifex Maximus (titre que se sont attribué les papes). Sa résidence officielle se trouvait dans la Regia voisine, dont il ne reste pour toute trace que des briques recouvertes d'herbe.

Plus loin le long de la Sacra Via, l'imposant **temple d'Antonin et de Faustine** a subsisté parce que, à l'instar de la Curie, il fut converti en une église, dotée d'une façade baroque en 1602.

Peu d'édifices antiques atteignent les proportions monumentales de la **basilique de Maxence**, terminée par Constantin (dont elle porte également le nom), de laquelle trois gigantesques voûtes restent debout.

La Sacra Via aboutit à l'**arc de Titus**, élevé en commémoration du sac de Jérusalem en l'an 70 de notre ère. Restauré par Valadier en 1821, il montre en des bas-reliefs magnifiquement ciselés le triomphe de l'empereur portant les trophées pris à Jérusalem, dont le chandelier d'or à sept branches et les trompettes d'argent du temple qui disparurent par la suite. Même aujourd'hui, beaucoup de juifs éviteront de passer sous l'arc, construit pour glorifier ce qui fut pour eux une tragédie.

Depuis cette extrémité du Forum, une pente conduit au **mont Palatin**, légendaire berceau de Rome et aujourd'hui son jardin le plus romantique. Au temps de la République, ce fut un quartier résidentiel recherché, peuplé par les riches et les aristocrates; au nombre de ses illustres habitants, citons Cicéron et Crassus. Auguste inaugura la coutume impériale et les empereurs postérieurs apportèrent des adjonctions et des agrandissements, chacun cherchant à surpasser le dernier en magnificence et en luxe, jusqu'à ce que l'ensemble formât un immense palais (le terme même provient de la colline). Des pavillons et des terrasses du jardin botanique aménagé à cet endroit au XVIe siècle par la famille Farnèse, on a une excellente vue du Forum tout entier.

Aux abords paisibles de la maison des Vestales, les roses embaument.

La **maison dite de Livie** est maintenant considérée comme étant celle de son époux, l'empereur Auguste, qui y vécut au milieu de la simplicité qui le caractérise, laquelle n'exclut pas le bon goût. Des petites pièces élégantes gardent des restes du sol en mosaïque et une peinture murale en bon état de conservation évoque l'amour de Zeus pour une jeune prêtresse. Tout près, une habitation circulaire de l'âge du fer, typique du temps des légendaires commencements de Rome (voir p. 12), est connue sous le nom de la **hutte de Romulus**.

A travers le Palatin court le **cryptoportique de Néron**, un passage souterrain reliant les palais. Dans le demi-jour, vous distinguerez des stucs décorant le plafond et les parois.

Le vaste ensemble de ruines de la Domus Flavia comprend une basilique, une salle du trône, une salle de banquet, des thermes, des portiques et une fontaine en forme de labyrinthe. En compagnie de la Domus Augustana, qui le longe, il est connu sous le nom de **palais de Domitien**. Depuis un des côtés, le regard peut plonger dans le **stade de Domitien**, une sorte de grande cour permettant à la famille impériale de prendre de l'exercice.

Dernier empereur à bâtir sur le Palatin, Septime Sévère étendit le palais impérial au sud-est jusqu'à la limite extrême de la colline, de sorte que la **Domus Severiana**, comportant sept étages, faisait impression dès l'arrivée dans la capitale. Elle fut démolie à la Renaissance et il ne reste que les énormes arcades des fondations.

De ce bord du Palatin on a une superbe vue de l'immense étendue verdoyante du **Circus Maximus**, où jusqu'à 200 000 personnes assistaient aux courses de chars depuis des gradins aux sièges de marbre. Au-delà se trouve l'Aventin (voir p. 45).

Les **Forums impériaux**, indépendants, le long de la via dei Fori Imperiali, furent construits en annexe au Forum romain en raison de l'extension de la capitale et nommés d'après Jules César, Auguste, Trajan, Vespasien et Nerva. Le monument le plus impressionnant est la **colonne Trajane** (113), haute de 30 mètres. Célébrant les campagnes de Trajan contre les Daces sur le territoire de l'actuelle Roumanie, la frise aux

56

Le temps – et la main de l'homme – ont bien dépouillé le Colisée.

minutieux détails se déroulant en spirale autour de la colonne constitue un véritable manuel de l'art romain de la guerre. La statue de saint Pierre remplaça celle de l'empereur en 1587.

Le Colisée

Il est significatif du matérialisme fondamental de Rome qu'au lieu d'une église élevant l'âme ou d'un riche palais, ce soit le Colisée qui symbolise la pérennité de la ville. Construit en l'an 80 par 20 000 esclaves et prisonniers, cet amphithéâtre ovale à quatre niveaux contenait 50 000 spectateurs assis sur des gradins de pierre suivant leur rang social. Empruntant en foule, à l'entrée comme à la sortie, des passages voûtés, patriciens et plébéiens venaient voir couler le sang. Ours, lions, tigres et léopards affamés dans ce but se battaient entre eux et combattaient les criminels et – d'après la tradition – les chrétiens. Les gladiateurs s'entretuaient au cri de *Jugula!* («Coupe-lui la gorge!»). Un seul spectacle en 249 vit 2000 gladiateurs y prendre part et 32 éléphants, 60 lions, 10 tigres et 10 girafes être tués.

Pour bâtir leurs églises et leurs palais, papes et princes ont dépouillé le Colisée de ses précieux matériaux: marbre, travertin et métal. Ils ont laissé dans l'arène un dédale de cellules et de couloirs en ruine qui conduisaient hommes et bêtes au carnage. Les horreurs sont ensevelies sous la mousse et seule demeure l'émotion devant l'antiquité du monument. Comme le dit une vieille prophétie anglo-saxonne: «Tant que le Colisée tiendra, Rome tiendra; quand tombera le Colisée, Rome tombera; et quand Rome tombera, avec elle tombera le monde.»

A proximité, l'**arc de Constantin** commémore la conversion du souverain au christianisme sur le champ de bataille et sa victoire sur son rival, l'empereur Maxence, à Ponte Milvio au nord de Rome, au IVe siècle. Sans se préoccuper de la représentation de rites et de sacrifices païens y figurant, les sénateurs soucieux d'économie prélevèrent des fragments sur les monuments de souverains précédents.

A un kilomètre au sud du Colisée, les immenses **thermes de Caracalla** *(terme di Caracalla),* du IIIe siècle, offraient assez de place pour que 1600 personnes s'y baignent dans la pompe et le luxe. Imaginez ces murs de brique encore imposants revêtus de marbre de couleur. Les bassins et les palestres étaient d'albâtre et de granit, décorés à profusion de statues et de fresques. Marchands et sénateurs y sacrifiaient au rituel du bain public, passant du *caldarium* (étuve) dans le *tepidarium* et le *frigidarium* pour se rafraîchir. Les thermes se tarirent au VIᵉ siècle, quand les barbares coupèrent les aqueducs. Aménagé en scène, le *caldarium* est assez vaste pour que s'y donnent de spectaculaires opéras.

La cité du Vatican

La puissance de Rome se perpétue à travers la spiritualité qui s'incarne dans la basilique Saint-Pierre comme à travers la splendeur stupéfiante du palais du Vatican. Dans le meilleur des cas, papes et cardinaux substituèrent à la conquête militaire l'autorité morale et la persuasion; dans le pire des cas, ils pouvaient montrer la même soif de pouvoir qu'un César.

Constantin, premier empereur chrétien, édifia la basilique primitive de Saint-Pierre à proximité (probablement au-dessus) de l'emplacement du tombeau de l'apôtre en 324 apr. J.-C. Après sa mise à sac en 846 par des pillards sarrasins, le pape Léon IV ordonna la construction d'une épaisse muraille autour du sanctuaire et l'enceinte prit le nom de cité Leonine (plus tard Vatican, du nom de la colline).

Le Vatican est la résidence du pape depuis plus de six siècles, mais un Etat souverain indépendant de l'Italie seulement depuis les accords du Latran passés avec Mussolini en 1929. Depuis 1506, le pape est gardé par un corps d'élite de suisses dont les uniformes bleu, écarlate et orange à l'ancienne mode auraient été dessinés par Michel-Ange. Le domaine pontifical dispose d'une radio vaticane indépendante, d'une minuscule gare de chemin de fer (rarement utilisée) et d'un bureau de poste particulier émettant ses propres timbres, qui sont devenus des pièces de collection. En dehors des 440 000 mètres carrés comprenant la place Saint-Pierre, la basilique Saint-Pierre et les palais et jardins pontificaux, le Vatican exerce sa juridiction sur douze en-

claves jouissant de l'exterritorialité – entre autres les basiliques Sainte-Marie-Majeure, Saint-Jean-de-Latran et Saint-Paul-hors-les-Murs, ainsi que la résidence d'été du pape, hors de Rome, à Castel Gandolfo –, dont neuf sont exemptes d'impôts.

C'est à peine si l'on se rend compte du passage de la frontière, quoiqu'elle soit marquée par une bande blanche de travertin reliant les extrémités des deux colonnades en bor-

Le Castel Sant'Angelo fut tour à tour un mausolée, une forteresse, un palais avant d'être une prison.

dure de la place Saint-Pierre. Mais pour assister à une audience publique du pape, le service de sécurité fouillera votre sac avant de vous laisser franchir les barrières de contrôle.

Le Bureau d'information religieux et touristique du Vatican, sur la place Saint-Pierre, organise des visites guidées et délivre des billets donnant accès aux enceintes du Vatican, y compris les jardins. C'est de là que partent les autobus à destination des musées pontificaux.

Idéalement, la visite de Saint-Pierre se combine avec celle du château Saint-Ange, pour s'achever par un pique-nique, tout près, sur le Janicule. Mieux vaut réserver les musées du Vatican pour un autre jour.

Château Saint-Ange
(Castel Sant'Angelo)

Traversez le Tibre depuis la rive gauche par le **ponte Sant'Angelo**, réservé aux piétons, auquel se trouvent incorporées des arches du pont initial d'Hadrien, le Pons Aelius. Les balustrades sont ornées de dix anges baroques dessinés par le Bernin, dont chacun porte un des instruments de la Passion du Christ.

C'est du pont qu'on voit le mieux la masse cylindrique du château Saint-Ange, aux puissants murs de brique dépouillés de leur travertin et troués par les boulets de canon. Bâti par Hadrien vers 130 pour lui servir de mausolée, il devint une partie du mur défensif d'Aurélien un siècle plus tard. Il prit son nom actuel en 590 à la suite d'une vision du pape Grégoire le Grand, à qui saint Michel archange apparut se posant sur une des tourelles et rengainant son épée pour annoncer la fin de la peste. Il demeura durant des siècles le plus puissant bastion militaire de Rome et le refuge des papes à l'heure du danger. Clément VII s'y terra pendant le sac de Rome par les troupes impériales en 1527. Ici aussi furent conservés les biens les plus précieux du Vatican, en des **62** coffres toujours visibles.

Le dieu Tibre

Le Tibre roule ses eaux jaunes et limoneuses à travers Rome sans presque être visible, encaissé qu'il est entre ses hautes berges. Au temps de l'Empire, des chalands transportaient les obélisques d'Egypte et le marbre de Toscane jusqu'au cœur de Rome. De nos jours, seul un petit nombre de restaurants flottants et de pontons pour bains de soleil sont amarrés aux rives.

Trente-six ponts relient la Rome Renaissance et classique et celle des affaires à la cité du Vatican, au Janicule et au Trastevere.

Au temps ancien de la République, un simple pont de bois enjambait le Tibre. Quand les Etrusques tentèrent de s'emparer de la ville, le héros romain Horatius Cocles arrêta une armée entière sur l'étroit ouvrage, qui portait le nom de pont Sublicius, tandis que ses concitoyens coupaient derrière lui les poutres. Au moment où la dernière planche tomba, Horatius sauta tout armé dans le courant impétueux et nagea sain et sauf jusqu'à la rive romaine, fier d'avoir joué envers le dieu Tibre le même rôle tutélaire que la divinité.

Les modernes Romains auraient bien du mal à l'imiter. La nage est exclue à cause de la pollution.

Une rampe en spirale, montrant des traces du pavement d'origine en mosaïque noire et blanche, conduit à la chambre funéraire où les cendres des membres de la famille impériale étaient conservées dans des urnes. On débouche à la lumière du jour dans la **cour de l'Ange** *(cortile dell'Angelo ou d'Onore),* avec ses piles de boulets, sur laquelle veille un ange de marbre. Un musée d'armes et d'armures donne sur la cour.

Après la sévérité de l'extérieur, c'est une surprise que de pénétrer dans le cadre luxueux des anciens **appartements pontificaux**. Effectivement assiégés par moments dans cette forteresse, les papes veillèrent à ne pas manquer de réconfort. De somptueuses fresques couvrent les murs et les plafonds de salles où sont accrochés des chefs-d'œuvre de Dosso Dossi, Nicolas Poussin et Lorenzo Lotto. Située à l'écart et donnant sur la cour d'Alexandre VI, la **salle de bains** est peut-être bien la plus ravissante qui existe. Cette pièce minuscule est peinte de délicats dessins recouvrant chaque mur ainsi que le bord de la cuve.

Une rude secousse vous fait revenir à la réalité en entrant dans les **cachots**, théâtre de tortures et d'exécutions. Il faut se courber en deux pour passer par des portes basses donnant dans des cellules de pierre nues où languirent Giordano Bruno et Benvenuto Cellini.

La **galerie de Pie IV**, entourant entièrement l'édifice, ménage une vue étendue dans toutes les directions, de même que la terrasse du sommet, au pied de la **statue de saint Michel**, bronze du XVIIIe siècle dû à Verschaffelt. On sera peut-être ému en songeant que c'est là le décor du dernier acte de *Tosca,* l'opéra de Puccini, dans lequel l'héroïne se jette dans le vide du haut du parapet.

Saint-Pierre

Du Castel Sant'Angelo, une large avenue rectiligne, la **via della Conciliazione**, conduit triomphalement à Saint-Pierre. Un confus dédale de rues, où se trouvait l'atelier de Raphaël, fut détruit dans les années trente pour offrir une vue dégagée de Saint-Pierre d'aussi loin que les bords du Tibre. Un mur épais se déroulant parallèlement à l'avenue dissimule un passage *(il Passetto)* reliant le Vatican au Castel Sant'Angelo, par où les papes en fuite gagnaient sains et saufs leur bastion.

Avec la **place Saint-Pierre** *(piazza San Pietro),* sa plus grande création, le Bernin a réalisé un exemple d'harmonie architecturale parmi les plus fascinants du monde. Les colonnades à la courbe enveloppante se tendent vers Rome et le monde entier – *urbi et orbi* – pour attirer le flot des pèlerins dans le sein de l'église, au fond. Le dimanche de Pâques, il s'entasse jusqu'à 300 000 personnes dans cet espace. La place se trouve à l'emplacement ou à proximité du cirque de Néron où beaucoup des premiers chrétiens furent martyrisés.

Le Bernin acheva les 284 colonnes de travertin et les 88 piliers surmontés de 140 statues de saints en 11 ans exactement, de 1656 à 1667. Au centre de l'ovale se dresse un obélisque de granit rouge (haut de 25,5 m), apporté d'Egypte par Caligula en 37. Tenez-vous sur un des deux disques de pierre placés entre l'obélisque et les fontaines jumelles de la place, datant du XVIIe siècle, pour voir la quadruple rangée de colonnes doriques à l'alignement parfait n'en faire magiquement plus qu'une. Au-dessus de la colonnade nord se trouvent les fenêtres du Palais apostolique où le pape vit et travaille.

Voir le pape

Lorsqu'il n'est pas à Bogota ou à Bangkok, il est possible de voir le pape en personne au Vatican. Il reçoit normalement le public en audience tous les mercredis à 11 h (17 h en été). Une invitation donnant accès à la Salle d'audience papale peut être obtenue auprès de la préfecture pontificale (ouverte les mardis et mercredis matin), après les portes de bronze donnant sur la place Saint-Pierre. L'évêque de votre diocèse peut organiser une visite privée.

Le dimanche à midi, le pape apparaît à la fenêtre de ses appartements du Palais apostolique (à droite de la basilique, dominant la place), prononce une brève homélie, dit l'angélus et bénit la foule en contrebas. Lors de quelques fêtes majeures, le pontife célèbre la grand-messe à Saint-Pierre.

Splendide en tout état de cause, la **basilique Saint-Pierre** *(basilica di San Pietro)* pâtit inévitablement de la vision divergente de tous les architectes appelés à y collaborer, chacun ajoutant, retranchant et transformant, souvent sous l'œil vigilant d'un pape.

De 1506, date à laquelle la nouvelle basilique fut commencée sous Jules II, à 1626, date de sa consécration, elle changea d'aspect plusieurs fois. Elle débuta par un simple plan en forme de croix grecque, à quatre branches d'égale longueur, et aboutit à celui de Maderna, une croix latine prolongée par une longue nef. Du même coup, le portique de la façade et la nef de Maderna empêchent de bien voir de la place le dôme de Michel-Ange.

La basilique est la plus grande église catholique du monde, avec 212 mètres de longueur extérieure, 187 mè-

Place Saint-Pierre, le pape attire des foules denses et cosmopolites.

tres de longueur à l'intérieur, 132,5 mètres jusqu'au sommet du dôme (les dimensions d'églises «inférieures» telles que Notre-Dame de Paris sont indiquées sur le sol de l'allée centrale).

A droite des portes d'entrée, dans une chapelle à part, vous découvrirez la plus précieuse œuvre d'art de la basilique, la sublime **Pietà** – la Vierge tenant sur ses genoux le corps du Christ – de Michel-Ange, sculptée alors que l'artiste n'avait que 25 ans. Les figures grandeur nature expriment avec une extrême simplicité le profond amour de la mère affligée pour son fils. Celle-ci est la seule de ses sculptures que signa Michel-Ange, dont le nom est nettement visible sur la ceinture de la Vierge. Depuis que le marteau d'un fanatique s'y est attaqué, elle est protégée par une vitre incassable.

La vénération aussi peut être cause de dégâts. Sur la **statue de saint Pierre** assis en bronze, du XIIIe siècle, attribuée à l'architecte et sculpteur florentin Arnolfo di Cambio, les orteils ont été usés par les lèvres d'innombrables pèlerins.

Sous la coupole, le grand **baldacchino** (baldaquin) du Bernin s'élance au-dessus du maître-autel, où seul le pape dit la messe. Le dais et les quatre colonnes en spirale furent fondus avec le bronze des ferrures du Panthéon. Remarquez à la base de chaque colonne les armoiries portant les trois abeilles du pape Urbain VIII Barberini qui commanda l'œuvre.

Derrière, dans l'abside, le Bernin donne libre cours à son exubérance avec sa **cathèdre de saint Pierre**, trône de ses successeurs, en bronze et en marbre, dans laquelle serait englobé le siège en bois de l'apôtre.

Pour son **dôme** impressionnant, Michel-Ange s'inspira du Panthéon et de la cathédrale de Florence. Un ascenseur vous conduira jusqu'à la galerie surmontant la nef. On a ici de haut une vision vertigineuse de l'intérieur de la basilique, ainsi qu'une vue détaillée de la calotte du dôme. Des escaliers et des rampes en colimaçon montent jusqu'au balcon extérieur qui entoure le sommet de la coupole pour offrir une vue stupéfiante de la cité du Vatican et de toute la ville de Rome.

A Saint-Pierre, ors et pompe pour une grandiose messe pontificale.

Les **grottes du Vatican**, au-dessous de la basilique, renferment de nombreuses petites chapelles, dont certaines sont décorées par des maîtres tels que Melozzo da Forli, Giotto et Pollaiuolo, et les tombeaux des papes. La nécropole, encore plus bas sous terre, abrite des tombes préchrétiennes, ainsi qu'un simple monument qui peut avoir indiqué l'emplacement de la sépulture de saint Pierre. Le secteur des fouilles n'est accessible que sur arrangement préalable avec l'office du tourisme.

Saint-Pierre est ouvert sans interruption chaque jour de 7 h au coucher du soleil. Des messes sont dites fréquemment dans les chapelles latérales en différentes langues. Les visiteurs ne sont admis que vêtus décemment.

Les musées du Vatican

Les 7 kilomètres de salles et de galeries des musées du Vatican présentent un microcosme de la civilisation occidentale. Tout s'y trouve avec une profusion assez ahurissante, depuis les momies égyptiennes, la délicate bijouterie d'or étrusque et la sculpture grecque et romaine jusqu'à l'art religieux moderne en passant par les chefs-d'œuvre du Moyen Age et de la Renais-

sance. Avec un seul billet on visite huit musées, cinq galeries, la Bibliothèque vaticane, les appartements Borgia, les Chambres de Raphaël et la chapelle Sixtine.

On a le choix entre plusieurs circuits, s'échelonnant de 1 heure 30 (A) à 5 heures (D). Voici une sélection de ce qui s'impose.

Grâce au butin produit par l'impitoyable démolition des monuments anciens en vue de faire place à la ville Renaissance du XVIe siècle, le **musée Pio-Clementino** a réuni une admirable collection d'art classique. La pièce la plus célèbre est le groupe du *Laocoon,* du Ier siècle av. J.-C., représentant le prêtre troyen et ses fils étouffés par des serpents pour avoir offensé Apollon. Illustre au temps de l'Empire, il fut exhumé dans un vignoble sur l'Esquilin en 1506, à la grande joie de Michel-Ange, qui se précipita pour le voir. Il se trouve maintenant dans une niche de la ravissante cour octogonale du Belvédère. Des copies romaines d'autres sculptures grecques, telles que la *Vénus de Cnide* de Praxitèle et le superbe *Apollon du Belvédère,* acquirent une renommée aussi grande que les originaux, maintenant perdus. Remarquez plus particulièrement le *Torse du Belvédère,* puissant et musclé, par Apollonios.

Quelques-unes des trouvailles les plus passionnantes de l'archéologie, provenant d'un tumulus étrusque du VIIᵉ siècle av. J.-C. situé à Cerveteri (voir p. 91), sont exposées au **musée Etrusque**. La tombe révéla une profusion de trésors. Parmi les bijoux finement travaillés figure une broche d'or très ornée, curieusement décorée de lions et de canetons. Arrêtez-vous devant l'insolite statue de bronze d'un fringant guerrier étrusque, le *Mars de Todi,* du IVᵉ siècle av. J.-C.

A en juger par le nombre d'obélisques disséminés à travers Rome, l'art égyptien fut fort admiré et recherché par les anciens Romains. La base de la collection du **musée Egyptien** est formée par des découvertes provenant de Rome et de ses environs, plus particulièrement des jardins de Salluste, du temple d'Isis et de la villa d'Hadrien à Tivoli (voir p. 87). On y voit le trône en granit noir de Ramsès II et une statue colossale de sa mère, la reine Tuaa.

Une rampe élégante introduit dans le dédale des musées du Vatican.

Le pape Jules II devait savoir ce qu'il faisait en appelant en 1508 un jeune homme de 25 ans relativement inexpérimenté à exécuter la décoration de ses nouveaux appartements. Il en naquit les quatre **Chambres de Raphaël** *(Stanze di Raffaello)*. Dans celle du centre, la Stanza della Segnatura, se trouvent les deux fresques magistrales de *la Dispute du Saint-Sacrement* et de *l'Ecole d'Athènes,* mettant en présence les sagesses théologique et philosophique. La *Dispute* réunit des figures bibliques et d'historiques docteurs de l'Eglise tels que le pape Grégoire le Grand et Thomas d'Aquin, ainsi que le peintre Fra Angelico et le divin Dante. Au centre de l'*Ecole,* Raphaël aurait donné à Platon les traits de Léonard de Vinci et ceux de Michel-Ange au pensif Héraclite.

Un parfait contraste avec le style noble de Raphaël vous sera apporté par la suave et lumineuse beauté des fresques de Fra Angelico dans la **chapelle de Nicolas V**. Elles illustrent les vies de saint Laurent et de saint Etienne.

Les **appartements Borgia** richement décorés renferment les sublimes fresques de Pinturicchio contenant les portraits du luxurieux pape Alexan-

La Bibliothèque vaticane expose livres rares et riches manuscrits.

dre VI et de ses trop fameux enfants César et Lucrèce Borgia, et conduisent à la collection d'art religieux moderne de Paul VI. Des bronzes de Rodin, des céramiques de Picasso, des esquisses de Matisse voisinent avec un pape caricatural de Francis Bacon.

Une des plus belles collections européennes de livres rares et de manuscrits anciens est conservée dans l'enceinte sanctifiée de la **Bibliothèque vaticane**. Dans la grande salle de lecture voûtée, ou salle Sixtine, construite par Domenico Fontana en 1588, plafonds et murs sont recouverts de peintures représentant des bibliothèques anciennes, des assemblées, des penseurs et des écrivains. Un exemplaire des œuvres de Virgile vieux de 1600 ans et un évangile de saint Matthieu du VIe siècle comptent parmi ses trésors.

Rien ne saurait vous préparer au choc visuel de la **chapelle Sixtine** *(capella Sistina),* construite pour Sixte IV au XVe siècle. On en oublie même l'incommodité d'une pareille foule de visiteurs (le silence est de rigueur) devant la force qui se dégage de la voûte de Michel-Ange, de son *Jugement dernier* et des autres fresques murales de Botticelli, de Pinturicchio, du Pérugin, de Ghirlandaio, de Rosselli et de Signorelli. Dans cette chapelle privée des papes, où les cardinaux tenaient leur conclave afin d'élire un nouveau pontife, l'éclat de l'église catholique atteint sa plus belle expression artistique.

La chapelle ne retrace rien moins que l'histoire de l'homme selon la Bible, en trois parties: d'Adam à Noé; Moïse recevant les Tables de la loi; et de la naissance de **71**

Jésus au Jugement dernier. Vers le centre de la **voûte** de Michel-Ange, vous distinguerez le fameux doigt tendu de la *Création d'Adam*. Rien ne surpasse l'effet de l'ensemble, qu'on appréciera le mieux depuis le banc placé près de la sortie.

Le récent nettoyage des fresques a révélé une vivacité de couleurs insoupçonnée.

Sur le mur de l'autel figure le **Jugement dernier** de Michel-Ange, qu'il commença à 60 ans, en proie à de profondes préoccupations religieuses. Le poignant autoportrait de l'artiste transparaît à travers les traits de saint Barthélemy, représenté écorché vif, au-dessous de Jésus.

Parmi tant de trésors du Vatican, les 15 salles de la **Pinacothèque** (*Pinacoteca Vaticana*) sont parfois traitées de façon expéditive. Cette collection rassemblant dix siècles de peintures débuta avec 73 tableaux renvoyés de Paris (où Napoléon les avait emportés). Une aile du palais fut construite spécialement en 1922 pour abriter la collection accrue. Parmi les œuvres les plus importantes figurent celles de Giotto, de Fra Angelico, du Pérugin, la *Transfiguration* de Raphaël (sa dernière grande œuvre), le *Saint*

Attention! Travaux

Il ne fut pas facile de peindre la voûte de la chapelle Sixtine. Michel-Ange n'avait jamais auparavant réalisé de fresque (peinture murale sur un enduit frais). Il renvoya ses sept aides au cours des deux premières semaines et continua seul pendant quatre ans, de 1508 à 1512. Il travailla debout sur la pointe des pieds, courbé en arrière (dit-il) «comme un arc syrien» – et non, comme on l'a prétendu, couché sur le dos. Le pape Jules II surveillait de près les travaux et menaçait de jeter Michel-Ange à bas de sa plate-forme s'il ne se dépêchait pas.

«Je n'ai pas une bonne place», Michel-Ange écrivit-il à un ami, «et je n'ai rien d'un peintre.»

Jérôme inachevé de Léonard de Vinci dans de sombres tons de sépia, les fresques d'*Anges musiciens* éthérés de Melozzo da Forli, la *Pietà* de Bellini provenant d'un grand retable et la dramatique *Déposition* du Caravage.

Jetez parfois un coup d'œil par les fenêtres sur le dôme de Saint-Pierre (surtout depuis la galerie des Cartes). Reposez-vous dans la **cortile della Pigna**, que domine l'énorme fontaine de bronze en forme de pomme de pin (Ier siècle apr. J.-C.) qui donne son nom à la cour. Et arrêtez-vous pour vous sustenter à la cafétéria libre-service.

Le Janicule
(Gianicolo)

Après vous être gorgé des richesses du Vatican, vous serez excusable d'éprouver une forte saturation culturelle. Dominant le Vatican, la colline du Janicule fournit un répit tout indiqué sous les ombrages accueillants de ses parcs. Du sommet, vous aurez une vue sensationnelle de Rome depuis la **piazzale Garibaldi**. Au centre de la place se dresse une imposante statue équestre en bronze du héros du Risorgimento, qui livra à cet endroit en 1849 une bataille acharnée. D'en haut, la rue descend en serpentant jusqu'au Trastevere (voir p. 46).

Superbe travail de restauration pour les fresques de la Sixtine.

Les églises

Impossible de les voir toutes. Il y en a autant que de jours dans l'année! Mais quel dommage de quitter Rome sans en visiter quelques-unes, car beaucoup contiennent de magnifiques œuvres d'art.

Les pèlerins catholiques voudront visiter les quatre grandes basiliques patriarcales: Saint-Pierre (voir p. 64), Sainte-Marie-Majeure, Saint-Jean-de-Latran et Saint-Paul-hors-les-Murs. Mais si celles-ci viennent en premier pour la plupart des visiteurs, nombre d'autres églises sont dignes de retenir votre attention. Nous nous contenterons d'un choix représentatif des plus belles.

Santa Maria Maggiore

Cette église, la plus grande et la plus somptueuse de toutes celles qui sont consacrées à la Vierge, fut primitivement érigée au IVe siècle par le pape Libère sur l'emplacement d'un temple de l'Esquilin dédié à la déesse Junon. Un siècle plus tard, elle fut démolie puis reconstruite par Sixte III.

D'éclatantes **mosaïques** mettent en valeur les parfaites proportions de l'intérieur. Au-dessus des 40 colonnes anciennes d'ordre ionique de la triple nef, une frise en mosaïque illustre des épisodes de l'Ancien Testament annonçant la venue du Christ. Le thème se poursuit dans les mosaïques dorées de style byzantin du grand arc relatant la naissance et l'enfance de Jésus et aboutit à la magnifique représentation (XIIIe siècle) de la Vierge à l'Enfant sur un trône, dans l'abside.

Des incrustations de marbres précieux rouges et verts ornent le sol de motifs dans le style des Cosmates. Remarquez la richesse du plafond Renaissance, doré avec le premier envoi d'or des Amériques.

Un reliquaire en or, argent et cristal, placé sous le maître-autel, contient des fragments passant pour provenir de la **crèche de Bethléem**, rapportés de Terre sainte par sainte Hélène, mère de Constantin.

La **chapelle Pauline** (capella Paolina), d'une incomparable richesse, possède un autel incrusté de lapis-lazuli, d'améthystes et d'agates, situé sous une peinture vénérée du IXe siècle représentant la Vierge avec l'Enfant. Chaque année, le 5 août, une pluie de pétales blancs répandue sur l'autel rappelle la miraculeuse chute de neige, prédite par la Vierge, qui indiqua au pape Libère où construire son église.

Saint-Jean-de-Latran

(San Giovanni in Laterano)
Considérée comme l'église mère du monde catholique, l'église primitive du Latran précéda même Saint-Pierre de quelques années; Constantin fit construire les deux basiliques au début du IVe siècle. Les papes vécurent dans le palais du Latran pendant un millénaire avant de se transporter à Avignon, puis au Vatican au XIVe siècle. Sur une table de bois, englobée dans le maître-autel, saint Pierre aurait célébré la messe.

Diverses vicissitudes réduisirent l'église à l'état de ruines au fil des siècles. La basilique actuelle, vieille d'à peine plus de 300 ans, est au moins la cinquième à cet emplacement. Mais les portes centrales en bronze remontent à la Rome antique, époque à laquelle elles ornaient l'entrée de la Curie, sur le Forum (voir p. 49). Très haut au-dessus de la façade de la basilique, 15 gigantesques statues blanches représentant le Christ, Jean Baptiste et les docteurs de l'Eglise se détachent sur le ciel.

Transformé par Borromini au XVIIe siècle, l'intérieur sombre tout en blanc et gris laisse une impression de sobriété et n'est égayé que par les incrustations de marbre de couleur du pavement. Dans des niches bordant la nef, de majestueuses statues des apôtres furent sculptées par des élèves du Bernin.

Le **baptistère** octogonal conserve quelques mosaïques véritablement splendides des Ve et VIIe siècles. Il fut construit au-dessus des bains de Fausta, seconde femme de Constantin, où eurent lieu les premiers baptêmes de Rome. Les belles portes de bronze de la chapelle de St-Jean-Baptiste, prises aux thermes de Caracalla, émettent un son mélodieux en tournant sur leurs gonds.

Principaux représentants du style cosmatesque en marbrerie, les frères Jacopo et Pietro Vassalletto se sont surpassés dans le **cloître**, où les colonnes alternativement droites et torses, incrustées de pierres de couleur, créent un cadre idéal pour la méditation.

Un antique édifice vis-à-vis de la basilique – qui est presque tout ce qu'il reste du vieux palais du Latran – renferme la **Scala Santa**, l'escalier saint rapporté par sainte Hélène de Jérusalem et que le Christ aurait foulé dans le palais de Ponce Pilate. Les pratiquants gravissent les 28 marches de marbre à genoux. **75**

A l'extérieur de la basilique se dresse un **obélisque** égyptien apporté du temple d'Ammon à Thèbes. C'est le plus haut du monde – 31 mètres – et le plus vieux (1449 av. J.-C.) des 13 encore debout à Rome.

Saint-Paul-hors-les-Murs
(San Paolo fuori le Mura)
La basilique, la plus grande de Rome après Saint-Pierre, fut construite par Constantin en 314 et ensuite agrandie par Valentinien II et Théodose.

Elle dura jusqu'à sa destruction par les flammes en 1823, mais elle a été reconstituée avec fidélité.

Un tabernacle dessiné par le sculpteur du XIIIe siècle Arnolfo di Cambio et retiré des décombres du grand incendie décore le maître-autel sous lequel se trouve la sépulture de saint Paul. Après la décapitation de Paul, une patricienne romaine du nom de Lucina plaça le corps à cet endroit dans son caveau familial. Constantin le revêtit par la suite d'un sarcophage de marbre et de bronze, pillé par les Sarrasins en 846.

Au-dessus des 86 colonnes vénitiennes en marbre se déroule une rangée de médaillons en mosaïque représentant tous les papes.

Faites halte dans le paisible **cloître** bénédictin, conçu par Pietro Vassalletto et surpassant même son ouvrage à Saint-Jean-de-Latran. De minces colonnes en spirale relevant de la tradition cosmatesque, qu'une mosaïque verte, rouge et or fait resplendir, entourent une roseraie et une fontaine bruissante.

San Pietro in Vincoli abrite le majestueux Moïse de Michel-Ange. Une oasis: le cloître de St-Paul.

San Clemente

Ce bijou d'église cache une histoire fascinante dont on peut suivre le fil à chacun de ses trois niveaux. L'**église** actuelle, remontant au XIIe siècle, est construite en forme de basilique comprenant trois nefs divisées par des colonnes antiques et qu'embellit un pavement à dessins géométriques de style cosmatesque. Dans l'abside, une mosaïque d'un riche symbolisme représente la Croix sous l'aspect de l'Arbre de vie nourrissant toutes les choses vivantes.

Sur la droite de la nef, un escalier descend à la **basilique** du IVe siècle, sur laquelle est assise l'église actuelle. Malheureusement, les fresques romanes – découvertes presque en parfait état de conservation – ont perdu toute leur fraîcheur.

D'antiques degrés conduisent plus bas sous terre à un dédale de couloirs et de salles, qu'on croit avoir été au

Ier siècle la maison de saint Clément lui-même, troisième successeur de saint Pierre sur le trône pontifical. Ici se trouve aussi le plus ancien édifice religieux à cet emplacement, un **temple** païen (*Mithraeum*) dédié au culte oriental du dieu Mithra. Une sculpture bien conservée montre Mithra tuant un taureau. Le bruit du ruissellement de l'eau de ruisseaux voisins s'écoulant dans la Cloaca Maxima se répercute étrangement à travers ces salles souterraines.

Santa Prassede

Ordinaire à l'extérieur, cette petite église enchante pourtant par l'atmosphère intime de l'intérieur. Sainte Praxède et sa sœur Pudentiana (dont l'église se trouve tout près) étaient les filles d'un sénateur romain qui, s'étant un des premiers converti au christianisme, donna asile à saint Pierre.

De délicates mosaïques du IXe siècle étincelantes d'or couvrent les murs et le plafond de la **chapelle de Saint-Zénon**, le principal monument byzantin de la ville. Elle devait servir de tombe à Théodora, mère du pape Pascal Ier. Les Romains du Moyen Age l'appelèrent le «Jardin du paradis» en raison de sa beauté.

San Pietro in Vincoli

L'église de Saint-Pierre-aux-Liens ne justifierait peut-être pas un second regard, n'était qu'elle renferme une des plus grandes sculptures de Michel-Ange, son puissant **Moïse**. Destinée au projet avorté du mausolée de Jules II prévu pour la basilique Saint-Pierre, la statue de cette grande figure biblique est assise avec un air de majesté impressionnant au centre du monument. Les cornes placées sur sa tête perpétuent une erreur de traduction du mot hébreu désignant un nimbe. De chaque côté, les femmes de Jacob furent les dernières sculptures qu'acheva Michel-Ange.

L'impératrice Eudoxie fonda l'église au Ve siècle, sur l'emplacement du tribunal romain où saint Pierre fut condamné. Elle fut construite pour garder les chaînes avec lesquelles Hérode fit ligoter saint Pierre en Palestine et celles qui servirent lorsqu'il fut emprisonné à Rome. Elles sont conservées dans un reliquaire de bronze placé sous le maître-autel.

Le Gesù

Sévère et relativement discrète, seule sur une place à l'ouest de la piazza Venezia, le Gesù est l'église mère des jésuites et elle joua un rôle majeur dans la contre-réforme qu'ils menèrent. Commencée en 1568 pour être leur «quartier général» romain, son plan dégagé servit de modèle aux églises suivantes. Alors que sa façade est plus sobre que celle des triomphantes églises baroques édifiées au moment où le mouvement prenait de l'ampleur, l'intérieur exalte le renouveau de l'esprit militant à travers l'éclat du bronze, de l'or, du marbre et des pierres précieuses.

Saint Ignace de Loyola, le soldat espagnol qui fonda l'ordre, a un **tombeau** d'une magnificence appropriée sous un autel richement décoré, presque écrasant de faste, dans l'aile gauche du transept, avec du lapis-lazuli à profusion. Le globe du dessus passe pour être le plus gros bloc de cette pierre existant au monde.

Sant'Ignazio
En un charmant contraste, l'église de Sant'Ignazio s'élève dans un ravissant décor de maisons rococo roussâtres et ocre. A l'intérieur, Andrea Pozzo (lui-même prêtre jésuite et auteur du tombeau du saint au Gesù) a peint à la voûte une superbe **fresque** en trompe-l'œil (1615) représen-

tant l'entrée de saint Ignace au paradis. En se tenant sur un disque de pierre polie dans l'allée centrale de la nef, on aura l'extraordinaire impression que tout l'édifice monte à des dizaines de mètres au-dessus de soi grâce à l'ingénieux effet de perspective de la peinture. Depuis un autre disque, plus loin dans l'allée, on peut admirer l'aérienne coupole surmontant le maître-autel, mais à mesure qu'on avance, elle se met à prendre de curieuses proportions – autre illusion picturale.

Les musées

A Rome, on pourrait passer tout son temps dans les musées. Le legs du passé y est si riche que la place manque pour tout exposer. Et il n'est pas une collection que ne rehausse le cadre incomparable d'un vieux palais ou d'une villa ou bien d'un antique édifice romain. En voici seulement quelques-unes parmi les meilleures (les musées du Vatican sont décrits à la p. 68, les musées du Capitole à la p. 28).

La galerie Borghèse
(Galleria Borghese)
Amateur d'art avide, le cardinal Scipion Borghèse imagina **79**

ce beau palais baroque dans le parc de la villa Borghèse afin d'abriter sa collection choisie, en profitant de sa qualité de neveu du pape Paul V pour extorquer des chefs-d'œuvre convoités.

Le rez-de-chaussée est consacré à la **sculpture**, avec des œuvres de l'Antiquité ainsi que des œuvres de jeunesse du Bernin, disposées dans des salles magnifiquement ornées de marbre et de fresques. Protégé du cardinal, le Bernin produisit des bustes de son mécène, un vigoureux *David* (passant pour être un juvénile autoportrait) et une gracieuse sculpture d'*Apollon et Daphné,* montrant la nymphe changée en laurier à l'instant où le dieu va s'emparer d'elle. Adjonction postérieure et clou de l'exposition, le portrait de la sœur de Napoléon, Pauline Bonaparte, épouse d'un Borghèse, par Canova, la représente nue dans l'attitude de Vénus au repos.

A l'étage supérieur, la **galerie de peinture** possède quelques tableaux remarquables qui sont la *Déposition* de Raphaël, l'*Amour sacré et l'Amour profane* de Titien, *David* et *la Vierge* du Caravage, ainsi que des œuvres de Rubens, du Corrège, de Véronèse et de Botticelli.

La villa Giulia

Cette maison de plaisance d'un pape, au nord-ouest de la villa Borghèse, offre maintenant son cadre ravissant au plus beau musée d'**art étrusque** d'Italie. Quoique cette civilisation prélatine reste encore enveloppée de mystère, les Etrusques laissèrent une profusion de renseignements sur leurs coutumes et leur vie quotidienne en ensevelissant dans leurs tombes les morts avec leurs possessions.

Des reconstitutions présentent les tumulus ronds en pierre, bâtis comme des huttes. Chaque pièce est remplie d'objets provenant des tombes, depuis des statuettes en bronze de guerriers en tenue de combat jusqu'à une multitude d'ustensiles usuels. Remarquez le grand nécessaire de toilette en bronze, agrémenté de figurines représentant les Argonautes. La plus belle pièce est une sculpture en terre cuite grandeur nature pour le couvercle d'un sarcophage figurant deux jeunes époux assis à un banquet.

Museo Nazionale Romano

Il n'est pas de meilleure introduction aux antiquités grecques et romaines de la ville que cette splendide collection qu'hébergent les thermes de Dioclétien, plus vastes même que ceux de Caracalla.

Le petit cloître *(piccolo chiostro)* de l'ancienne chartreuse, aménagé dans une partie des thermes, offre un cadre attrayant à la magnifique **collection Ludovisi**, rassemblée par le cardinal Ludovico Ludovisi au XVIIᵉ siècle. Arrêtez-vous devant deux des pièces les plus importantes: le dessus d'autel en marbre dit *Trône d'Aphrodite,* original grec du Vᵉ siècle av. J.-C., orné de bas-reliefs délicatement ciselés représentant Vénus et une jeune fille jouant de la flûte; et l'émouvante statue d'un guerrier barbare se tuant après avoir tué sa femme pour ne pas être réduit en esclavage.

Dans les **«Nouvelles Salles»**, vous rencontrerez l'*Apollon du*

La galerie Borghèse offre un cadre idéal à ces divines sculptures.

Tibre, d'après un groupe en bronze de Phidias jeune, découvert en 1891 au cours de fouilles près du pont du Palatin; une copie, probablement la meilleure qui soit, du fameux *Discobolos* (Discobole) de Myron; la *Niobide,* original grec du Ve siècle av. J.-C.; la *Vénus de Cyrène;* un bronze figurant un jeune homme appuyé sur une lance; un autre représentant un pugiliste assis signé d'Apollonius; et divers portraits sculptés, dont un d'Auguste. A l'étage, les **fresques à paysages**, provenant de la villa de l'impératrice Livie, représentent une nature luxuriante, peinte avec un méticuleux souci de réalisme.

Galleria Nazionale d'Arte Antica

Le palazzo Barberini (via delle Quattro Fontane) servit lui aussi de champ de bataille aux grands rivaux en architecture Borromini et le Bernin, chacun d'eux ayant construit un de ses grandioses escaliers et contribué à la splendeur de la façade. Il mérite une visite tant pour son décor baroque que pour sa collection de tableaux. L'art et l'architecture se conjuguent dans le **Grand Salon** grâce à l'éblouissante fresque en trompe-l'œil du plafond due à Pietro da Cortona, le *Triomphe des Barberini.*

La majeure partie de la collection nationale d'art est accrochée dans la galerie de l'étage (le reste est logé au palazzo Corsini, dans le Trastevere, de l'autre côté du Tibre). Les œuvres comprennent un triptyque de Fra Angelico, le célèbre portrait de *Henri VIII* par Hans Holbein et des tableaux de Titien, du Tintoret, du Pérugin, de Lorenzo Lotto et du Greco. Ne manquez surtout pas *la Fornarina* de Raphaël, le plus fameux des portraits qu'il fit de la fille du boulanger qui fut sa maîtresse.

Galleria Doria Pamphili

Le vaste palazzo Doria, sur le Corso, est encore le domicile de la famille des Doria, mais le public est autorisé plusieurs jours par semaine à voir leur collection particulière de peinture richement composée, réunie au fil des siècles.

Un catalogue s'avère nécessaire, les tableaux n'étant désignés que par des numéros. Ils sont superposés sur trois rangées de chaque côté de quatre galeries entourant une cour Renaissance.

De ces peintures du XVe au XVIIe siècle, il n'est pratiquement pas une qui ne soit un chef-d'œuvre. Mais arrêtez-vous surtout devant le paysage serein et évocateur du *Repos pendant la fuite en Égypte* par Annibale Carrache et la houleuse *Bataille navale dans le golfe de Naples* de Bruegel l'Ancien.

Un subtil contraste de styles s'offre au regard dans une petite pièce communiquant avec les galeries, où sont juxtaposés un brillant portrait mondain par Vélasquez du pape Innocent X et son buste en marbre d'un plus grand détachement dû au Bernin.

Excursions

Aujourd'hui les principales excursions dans la campagne du Latium *(Lazio)* aux environs de Rome sont encore celles qui menaient les anciens Romains à leurs maisons de plaisance du voisinage. Mais en premier lieu, gagnez, aux abords de la ville, l'ancienne voie Appienne.

L'ancienne voie Appienne
(Via Appia Antica)
En franchissant la porta San Sebastiano, dans la direction du sud-est, retournez-vous pour embrasser du regard l'ancien **mur d'Aurélien**, qui entoure encore une partie de

La troisième ville

Le centre historique de Rome a été miséricordieusement épargné par les discordantes innovations du XXe siècle. Mais il existe une «Troisième Rome» ultramoderne, à 5 kilomètres au sud, sur la route d'Ostie – le rêve de Mussolini, censé rivaliser avec les splendeurs des cités du passé.

Connu simplement par ses initiales EUR (prononcer È-our), cet ensemble de lourds édifices de marbre blanc, percé de larges avenues et d'espaces verts groupés autour d'un lac artificiel, fut conçu à l'occasion d'une exposition universelle en 1942 pour marquer le vingtième anniversaire du fascisme. Mais la guerre en interrompit la construction.

Ces dernières années, l'EUR s'est transformé en une florissante banlieue rassemblant ministères, bureaux, centres de congrès et appartements chic. Il subsiste plusieurs édifices du temps de Mussolini, dont l'énorme cube à arcades du Palais des Travailleurs *(Palazzo della Civiltà del Lavoro)*, appelé le «Colisée carré». Pour les Jeux olympiques de 1960, l'architecte Pier Luigi Nervi dessina l'immense dôme du Palazzo dello Sport. Le musée de la Civilisation romaine *(museo della Civiltà romana)* renferme une maquette de la Rome antique.

Rome. Ses massifs remparts se déroulent au loin, surmontés de tours et de bastions construits pour contenir l'assaut des invasions barbares au IIIe siècle.

Devant s'étend une voie étroite, enserrée au début entre des haies et les hauts murs des demeures des milliardaires – l'**ancienne voie Appienne**. Quand le censeur Appius Claudius la fit ouvrir et lui donna son nom en 312 av. J.-C., ce fut la plus belle route que le monde occidental eût jamais connue. On peut y voir encore quelques-unes des dalles de basalte primitives.

La loi interdisant d'ensevelir les morts à l'intérieur des murs de la ville, les tombeaux furent bâtis au bord de cette route. De chaque côté gisent les ruines des sépultures de 20 générations de familles patriciennes, les unes marquées par de simples plaques, d'autres par d'impressionnants mausolées. Pour la même raison, les chrétiens aménagèrent ici les catacombes.

A un embranchement de la route, la chapelle **Domine quo Vadis** indique l'endroit où saint Pierre, fuyant les persécutions de Néron à Rome, aurait rencontré le Christ. «Où vas-tu, Seigneur?» («*Domine quo vadis?*»), demanda Pierre. Le Christ répondit: «Je viens à Rome pour me faire crucifier à nouveau.» Honteux de sa faiblesse, Pierre s'en retourna à Rome pour subir le martyre. La petite église contient la reproduction d'une pierre portant l'empreinte d'un pied laissée, dit-on, par le Christ.

Plus loin le long de la via Appia sont concentrées trois des plus célèbres catacombes de Rome, celles de Saint-Calixte, de Saint-Sébastien, et de Domitille. Quelque 6 millions d'entre les premiers chrétiens, dont nombre de martyrs et de saints, furent ensevelis dans une cinquantaine de ces nécropoles souterraines. Des guides qualifiés accompagnent les visiteurs en groupes à travers le dédale des couloirs et des cellules creusés en profondeur dans le tuf – roche volcanique poreuse –, parfois sur six niveaux (claustrophobes s'abstenir). Les catacombes sont ornées de peintures et de sculptures qui constituent de précieux exemples de l'art des premiers chrétiens.

L'entrée des **catacombes de Saint-Calixte** se trouve au bout d'une allée de cyprès. Une visite organisée conduit jusqu'au second niveau des fouilles, où on peut voir les niches funéraires, appelées *lo-*

culi, taillées dans la roche l'une au-dessus de l'autre de chaque côté des galeries obscures. Les étroits corridors s'élargissent parfois, formant de plus grandes cellules ou *cubicula,* où tous les membres d'une même famille étaient enterrés ensemble. Une crypte de ce genre abrita les restes des papes du IIIe siècle; une autre contint le corps de sainte Cécile jusqu'à son transfert à l'église de Santa Cecilia in Trastevere (la statue de la sainte placée dans un renfoncement est une copie de celle de Stefano Maderno qui se situe dans l'église, voir p. 48).

Dans les **catacombes de Saint-Sébastien**, les corps des apôtres Pierre et Paul ont été cachés, dit-on, pendant plusieurs années au cours des persécutions du IIIe siècle. On peut encore voir des inscriptions en latin et en grec évoquant les deux saints.

Le **tombeau de Cecilia Metella**, de forme cylindrique, domine le paysage. Cette patricienne dont on sait peu de chose fut apparentée au richissime Crassus, qui finança les premières campagnes de Jules César. Une famille romaine ajouta au XIVe siècle le parapet crénelé lorsqu'elle le transforma en château fort.

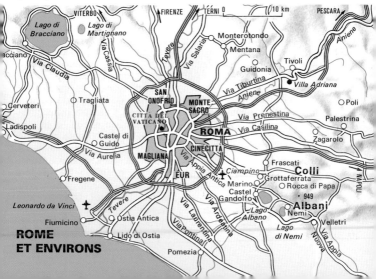

ROME ET ENVIRONS

A côté s'étend le **cirque de Maxence**, en excellent état de conservation, construit pour les courses de chars en 309 sous le dernier empereur païen, responsable de l'ultime vague de persécutions des chrétiens à Rome.

Quittez la via Appia pour la visite des **fosses Ardéatines** *(fosse Ardeatine),* lieu d'un moderne pèlerinage pour les Italiens. En mars 1944, par représailles contre le meurtre de 32 soldats allemands par la résistance italienne, les nazis rassemblèrent au hasard 335 Italiens et les exécutèrent à la mitrailleuse dans les sablières de la via Ardeatina. Un poignant monument commémoratif a été érigé à cet endroit en souvenir des morts.

Tivoli

La pittoresque ville de Tivoli est perchée sur une pente abrupte parmi les bois, les rivières et les oliviers tors et argentés des monts Sabins. Habitée même dans l'Antiquité, alors qu'elle portait le nom de Tibur, Tivoli demeura florissante à travers tout le Moyen Age, ce qui explique qu'elle conserve d'intéressants vestiges romains et des églises médiévales, en même temps que la célèbre villa de la Renaissance.

Des autobus partent régulièrement de Rome, dans la via Gaeta, en face de la gare Termini; le trajet, long de 30 kilomètres, empruntant l'ancienne chaussée romaine carrossable (maintenant asphaltée) de la via Tiburtina, prend environ une heure un quart.

La **villa d'Este** s'étend à flanc de coteau. De ses fenêtres et de ses balcons, on a vue sur les **jardins**, s'abaissant en une succession de terrasses en pente, qu'embellissent, dit-on, cinq cents fontaines.

Le cardinal Ippolito II d'Este conçut ce jardin d'agrément au XVIe siècle. L'architecte Pirro Ligorio, doué de ce génie des jeux d'eau qui a caractérisé les Romains depuis l'Antiquité, en fut le créateur. Sur la terrasse des 100 Fontaines, des jets d'eau rejaillissent dans une longue vasque que gardent des statues d'aigles. La grandiose fontaine de l'Orgue, dotée à l'origine d'un accompagnement de musique d'orgue, tombe en une rapide cascade parmi les rochers. On peut passer derrière pour contempler les jardins à travers un voile de poussière d'eau. Au niveau inférieur, trois grands bassins profonds contrastent par leur calme avec le sonore ruissellement de l'eau ailleurs.

L'architecte se complut dans de bizarres caprices, comme la rangée de sphinx laissant jaillir de l'eau de leurs mamelons, ou des jets d'eau à surprise qui aspergeaient le passant sans méfiance. Mais n'ayez crainte, ces plaisanteries n'ont plus cours.

Au pied des collines gisent les mémorables vestiges de la **villa d'Hadrien** (*villa Adriana*). S'étendant sur 70 hectares, cette retraite du grand empereur doublé d'un bâtisseur (le Panthéon à Rome) fut conçue dans le but d'éterniser quelques-unes des beautés architecturales de son empire, en particulier cette Grèce qu'il aimait par-dessus tout – tels des souvenirs de voyages pour ses vieux jours.

Les visiteurs arrivant à la villa en autobus sont déposés au guichet de l'entrée principale. Les cars de tourisme et les voitures particulières poursuivent leur route jusqu'au parc de stationnement à l'intérieur de l'enceinte. Une excellente maquette placée là vous donnera un aperçu de l'ensemble. Vous verrez qu'il s'agissait plutôt d'une ville en miniature. Les thermes monu-

A la Villa d'Este de Tivoli, une vision filtrée par la cascade.

mentaux, la bibliothèque latine et la grecque, le théâtre grec, les temples et les pavillons forment la demeure d'un homme qui ne dissociait pas les plaisirs du corps et de l'esprit.

On entre en franchissant les colonnades du **Stoa Poikile** (portique polychrome) de style grec, qui donne accès à la principale résidence impériale. Jouxtent le palais des chambres d'hôtes, dont le sol en mosaïque noire et blanche est encore visible, et un passage souterrain permettant aux serviteurs de circuler sans être vus.

La ravissante **villa dell'Isola**, un pavillon qu'entourent un petit miroir d'eau et un portique circulaire, résume toute la magie du lieu.

Au sud, des restes d'arcades et des copies de cariatides (statues de femmes soutenant une corniche sur leur tête) de style grec environnent le **bassin de Canope** introduisant au sanctuaire du dieu égyptien Sérapis.

Barbares et pourvoyeurs de musées ont emporté la plupart des trésors de la villa, mais une promenade parmi ces vestiges dans les jardins retournés à l'état sauvage peut encore merveilleusement évoquer ce **88** monde aboli.

Ostia Antica

Les fouilles continuent de révéler de captivants aspects de ce qui fut autrefois le port de mer et la base navale de la Rome antique. Longtemps ensevelie, la ville d'Ostie est située à l'embouchure *(ostium)* du Tibre, à 23 kilomètres au sud-ouest de la capitale, au bord de la mer Tyrrhénienne.

Les navires de haute mer ayant un trop fort tirant d'eau pour remonter le Tibre, des

Loin de la chaleur de Rome, des fraises au dessert dans le cadre très apaisant des monts Albains.

péniches faisaient le va-et-vient depuis le port en transportant le ravitaillement et les matériaux de construction dont avait besoin Rome. Au temps de sa prospérité, Ostie comptait 100 000 habitants et possédait de superbes thermes, des temples, un théâtre et de splendides maisons.

En excellent état de conservation, les vestiges d'Ostie, sis au milieu des cyprès et des pins, en apprennent plus sur la vie quotidienne et les techniques de construction des Romains de l'Antiquité que ceux de la capitale. Depuis le XIXᵉ siècle, les fouilles ont mis au jour des entrepôts, des communs, des immeubles d'habitation dénommés *insulae* (îlots) et des maisons particulières avec jardins, décorées de mosaïques et de fresques.

89

Les portiques de la **piazzale delle Corporazioni** (place des Corporations) abritaient 70 locaux commerciaux autour d'un temple central dédié à Cérès, déesse des moissons. Des devises et des emblèmes en mosaïque incrustés dans le dallage évoquent les courtiers en grains, les calfats, les cordiers et les armateurs qui commercèrent ici.

Le **théâtre** voisin, du temps d'Auguste, accueille maintenant des représentations de pièces classiques traduites en italien. Il vaut la peine d'escalader les gradins pour embrasser du regard tous les vestiges de la ville.

Comme à Rome, le **Forum** était le centre de la vie civique, que dominaient à une extrémité le Capitole, un temple consacré à Jupiter, Junon et Minerve, et à l'autre le temple de Rome et d'Auguste, l'intervalle étant occupé par la Curie, siège de l'autorité municipale, et la Basilique, ou tribunal.

Pour connaître une typique habitation particulière, visitez la **maison de Cupidon et Psyché**, aux pièces dallées de marbre construites autour d'une cour intérieure. Tout près, un petit **musée** retrace l'histoire d'Ostie à l'aide de statues, de bustes et de fresques exhumés dans la région.

La moderne station balnéaire d'Ostie attire le week-end une foule de Romains, qui affluent sur les plages de sable gris. La natation est déconseillée en raison de la pollution. Dînez plutôt dans un des agréables restaurants en plein air.

Le métro de Rome va jusqu'à Ostie, ainsi que les autobus et les excursions organisées. Le trajet prend environ 45 minutes.

Les monts Albains et Castel Gandolfo

Immédiatement au sud-est de Rome, les villages dispersés sur les hauteurs, appelés localement *Castelli Romani* (châteaux romains), furent d'abord des refuges fortifiés au cours des guerres civiles du Moyen Age. Aujourd'hui, seule la chaleur estivale pousse les Romains à excursionner pour la journée dans les monts Albains.

Le pape a sa résidence d'été à **Castel Gandolfo**, au-dessus du lac d'Albano, où il se détend dans l'immense palais de la fin de la Renaissance dessiné par Carlo Maderna, sis dans de magnifiques jardins paysagers. Il donne audience le mercredi de la mi-juillet au début de septembre et bénit les milliers de pèlerins le dimanche à midi. Le palais, les jardins et l'Observatoire du Vatican situé dans l'enceinte sont interdits au public.

Une terrasse voisine du palais pontifical domine les eaux bleu foncé du lac d'Albano, qui s'étale dans un ancien cratère volcanique boisé plusieurs dizaines de mètres en contrebas.

Les villages de Frascati, Grottaferrata, Marino et Rocca di Papa constituent de délicieuses haltes, dont le moindre charme n'est pas d'y boire bien frais un verre de leur honorable vin blanc, surtout lors de la fête des vendanges en automne. Sous l'aimable microclimat du **lac de Nemi**, on cultive toute l'année les fraises, servies – avec de la crème ou du jus de citron – à Nemi dans le parc du village.

Cerveteri

Si la villa Giulia à Rome (voir p. 80) et le musée Etrusque au Vatican (voir p. 69) ont éveillé votre curiosité au sujet des Etrusques, il vaut la peine de se rendre à la nécropole antique de Cerveteri, à 43 kilomètres au nord-ouest de Rome.

Nommée dans l'Antiquité Caere, ce fut une des 12 villes constituant à l'origine la puissante Ligue étrusque. Mais la cité déclina au IIIe siècle av. J.-C., après être tombée sous la dépendance de Rome.

Les centaines de **tombeaux** découverts appartiennent à toutes les catégories de sépultures – des fosses primitives aux tumulus – et datent du VIIe au Ier siècle av. J.-C. Les tertres les plus tardifs comprennent souvent plusieurs chambres, taillées dans le tuf et affectant la forme des logis étrusques en bois. Des décorations de stuc et des roches sculptées représentent les armes, le matériel de chasse, les animaux domestiques et même les ustensiles ménagers dont les Etrusques pensaient avoir encore besoin dans l'au-delà. Le plus célèbre est le tombeau Regolini-Galassi, dont les trésors sont maintenant exposés au musée Etrusque du Vatican.

Beaucoup de tombeaux ont malheureusement été pillés par des profanateurs de sépultures et sont toujours en butte au pillage. Mais le **Museo Nazionale di Cerveteri**, logé dans un château du XVIe siècle, présente par ordre chronologique un riche ensemble d'objets provenant des tombeaux, dont des sarcophages, des sculptures, des peintures murales et des vases. **91**

Calendrier des festivités

5–6 janvier	Fête de la *Befana* (Epiphanie) sur la piazza Navona.
9 mars	*Festa di Santa Francesca Romana;* les Romains amènent leurs voitures jusqu'à la piazzale del Colosseo près de l'église de Santa Francesca Romana sur le Forum, pour leur bénédiction.
Mars–avril	Vendredi saint; le pape conduit la Procession de la Croix à 21 h du Colisée éclairé aux chandelles jusqu'au Forum. Dimanche de Pâques; le pape bénit la foule depuis le balcon de Saint-Pierre à midi.
Avril	*Festa della Primavera* (Fête du printemps); l'escalier de la Trinità dei Monti est fleuri d'azalées.
21 avril	Anniversaire de la fondation de Rome.
Avril–mai	Concours hippique international, avec la Coupe des Nations, dans le parc de la villa Borghèse.
Mai	Exposition artistique en plein air dans la via Margutta. Foire à la brocante dans la via dei Coronari. Championnat international de tennis au Foro Italico.
Juin (1ʳᵉ semaine)	*Festa della Repubblica;* défilé militaire le long de la via dei Fori Imperiali.
29 juin	*Festa di San Pietro e San Paolo;* rites solennels à Saint-Pierre et à Saint-Paul-hors-les-Murs.
Juillet	Fête en plein air des *Noiantri* dans le Trastevere.
5 août	*Festa della Madonna della Neve* à Sainte-Marie-Majeure.
15 août	*Ferragosto* ou Assomption; la plupart des Romains désertent la ville pour la mer ou les collines.
Septembre	Exposition d'art en plein air dans la via Margutta.
Décembre	Marché aux jouets et aux décorations de Noël sur la piazza Navona.
8 décembre	*Festa della Madonna Immacolata* (Immaculée Conception); le pape ou ses envoyés déposent des fleurs devant la colonne de la Vierge, place d'Espagne.
24 décembre	Messe de minuit à Saint-Pierre et à Sainte-Marie-Majeure avec adoration de la crèche.
25 décembre	Crèche de Noël avec le Bambino vénéré à Santa Maria in Aracoeli.

Que faire

Les distractions

Comme toute grande ville, Rome a son lot de boîtes de nuit et de discothèques, mais l'habitude la plus répandue consiste à prolonger le dîner bien après minuit dans un des attrayants restaurants à terrasse, en se faisant donner la sérénade (voir p. 96).

Musique. Presque chaque soir en juillet et en août il y a une représentation d'opéra dans le cadre spectaculaire des thermes de Caracalla (voir p. 58). La saison lyrique dure officiellement de novembre à juin au Teatro dell'Opera.

En été, des concerts de musique classique ont lieu dans des décors pittoresques et historiques tels que le Campidoglio, Santa Maria Sopra Minerva et la villa Médicis.

Des festivals en plein air de jazz, de pop et de rock se tiennent dans les parcs et jardins de Rome à l'occasion de l'*Estate Romana* (Eté romain).

Théâtre. Plusieurs théâtres montent des pièces classiques et modernes et des comédies musicales, presque toujours en italien. Des pièces de l'Anti-quité traduites en italien sont jouées dans le théâtre antique de la station balnéaire d'Ostie (voir p. 88).

Cinéma. Rome possède près de 100 cinémas, mais dans la plupart les films étrangers sont doublés en italien. Le *Pasquino,* dans le Trastevere, passe des films en version originale.

Les achats

Rome a dans le monde entier la réputation d'être un paradis du shopping et le mérite incontestablement. Le sens du spectacle que possèdent les Italiens ne frappe nulle part autant que dans les boutiques chic, et les vendeurs, quand bien même ils ne parlent pas le français, se mettront en quatre pour vous servir.

Où acheter

Le quartier commerçant le plus élégant de Rome est situé entre la place d'Espagne et la via del Corso. Il s'y trouve quelques-uns des plus beaux magasins d'Europe, mais pour être plus sûrs de tomber sur de bonnes affaires, les Romains qui s'y entendent vont faire leurs achats ailleurs.

Une rue commerçante en faveur est la via Cola di Rien- **93** zo, sur la rive droite du Tibre. Les prix sont également modérés du côté de la via del Tritone, près de la fontaine de Trevi et dans les rues tortueuses voisines du Campo de'Fiori et du Panthéon.

En matière d'articles de qualité, les Italiens apprécient les petites boutiques offrant la garantie de générations d'un artisanat consciencieux. C'est pourquoi vous ne rencontrerez pas de grands magasins «haut de gamme», mais des magasins à succursales, populaires et bon marché, tels que Rinascente ou Upim.

L'étonnant marché aux puces de Rome, baptisé Porta Portese, s'étend sur quelque 4 kilomètres de rues et de ruelles. Il commence à un arc délabré, la porta Portese, au débouché du ponte Sublicio. Invariablement envahi par la foule, le marché fonctionne le dimanche, de l'aube jusque vers 13 h. Les éventaires encombrés proposent de tout, mais recherchez particulièrement les couvertures et les courtepointes des paysans des Abruzzes. Les chèques de voyage sont acceptés par beaucoup de commerçants du marché. N'emportez pas d'argent ou de papiers superflus, les pickpockets affectionnant cet endroit.

94

Qu'acheter

Antiquités. Si vous cherchez des antiquités authentiques et certifiées, tenez-vous-en aux marchands honorablement connus, sans vous adresser aux marchés en plein air. Les magasins sérieux vous fourniront un certificat de garantie *(certificato di garanzia)* et s'occuperont de l'expédition tout en se chargeant des formalités. Les meilleurs antiquaires se trouvent dans les rues avoisinant la place d'Es-

pagne (en particulier via del Babuino), sans parler de la via dei Coronari (voir p. 40).

Céramique. Carafes, pots, assiettes, coupes, etc., aux attrayants motifs coloriés, constituent des présents décoratifs autant qu'utiles.

Cuir. Les chaussures en particulier, mais tout le reste aussi, des gants aux bagages, sont d'une qualité et d'une ligne irréprochables. Quelques-uns des plus beaux articles de maroquinerie se trouvent chez Gucci, Fendi ou Pier Caranti.

Joaillerie. Les orfèvres italiens comptent parmi les meilleurs d'Europe. Si la suprême distinction est dans vos moyens, ne vous laissez pas impressionner par la façade de marbre de Bulgari, dans la via Condotti. Les bijoux fantaisie aussi offrent d'excellentes occasions.

Mode. De la toilette chic au prêt-à-porter, les modèles italiens sont inégalables. La mode féminine est représentée par les grands couturiers fran-

çais comme par ceux d'Italie (tels que Valentino, Armani, Gianni Versace et Missoni). Les temples de la mode masculine ont nom Cucci (avec un C) et Battistoni. On trouve des articles pour enfants non moins superbes, ni moins chers d'ailleurs, dans les deux magasins de Tablò.

Nourriture et vin. Les possibilités sont nécessairement réduites en raison des problèmes de transport, mais vous pourrez rapporter sans trop de risque un morceau de parmesan, qui voyage et se conserve bien, du salami, le jambon de Parme et de San Daniele *(prosciutto crudo),* et, pour les accompagner, les crus du terroir romain originaires des monts Albains (voir p. 90).

Souvenirs. Au rayon des souvenirs fabriqués en série, vous rencontrerez une invention inépuisable dans le domaine du mauvais goût, bon marché et moins bon marché, de la fontaine de Trevi aspergeante à la boule de verre enclosant le pape bénissant les fidèles sous une tempête de neige...

Textiles. Vous trouverez une large gamme de soieries de qualité – corsages, chemises, costumes, foulards et cravates – et des tricots à motifs typiques.

96

Les plaisirs de la table

Agissez comme le font si volontiers les Romains et transformez votre dîner au restaurant en une véritable soirée en ville. Ils aiment s'attarder à loisir devant leur repas dans une des agréables *trattorie* dont la capitale regorge. Et la circulation bannie de certains coins du centre historique de Rome, sans parler d'un climat bénin, restitue le plaisir de manger dehors.

Les endroits de prédilection sont le Trastevere (voir p. 46), qui possède des centaines de petites *trattorie,* et le quartier juif (voir p. 43), avec ses spécialités. Toujours pour faire comme les Romains, allez au moins une fois déjeuner ou dîner «hors les murs», par exemple au bord de la via Appia Antica.

Où manger

Il n'y a que dans quelques hôtels s'adressant aux touristes que vous obtiendrez un petit déjeuner à la mode de chez vous. Autrement, dirigez vos pas vers un bon *caffè* sur la place où vous dégusterez la *prima colazione* composée d'un merveilleux café, un *espresso* noir ou un *cappuccino* avec du lait chaud et mousseux (saupoudré de chocolat en poudre dans les meilleurs établissements), et d'un toast ou d'un petit pain sucré. Le thé italien est assez pâle, mais le chocolat chaud est excellent.

Pour qui adopte le «régime touriste» sainement limité à un seul grand repas par jour, de préférence le soir, l'endroit idéal pour déjeuner sur le pouce est le comptoir d'une *tavola calda* («table chaude»). Toute la journée, on a le choix entre une variété de plats chauds et froids à emporter ou à manger sur place.

Théoriquement, un *ristorante* est un établissement plus cher et plus grand qu'une *trattoria* de type familial. Mais à Rome la distinction est quasi inexistante; ce sont deux façons de désigner un restaurant, comme le terme moins fréquent d'*osteria*. Une *trattoria-pizzeria* sert de la pizza en plus du menu d'une *trattoria*.

Ne vous fiez pas aux prix pour juger de la qualité de la cuisine. Dans un restaurant coûteux, le repas peut être magnifique et le service aller de pair, mais il se peut aussi qu'on vous fasse payer pour le cadre. A quelques pas seulement d'endroits aussi touristiques que la piazza del Popolo et la piazza Navona existent de nombreuses petites *trattorie,* aux prix bien plus bas, où l'ambiance est infiniment plus agréable et où la nourriture a plus de véritable originalité.

Beaucoup de restaurants affichent le menu et les prix à l'extérieur derrière une vitre. Vous pourrez ainsi, sans entrer, vous faire une idée de ce qu'ils proposent.

Quand manger

Les restaurants romains servent à déjeuner de 12 h 30 à 15 h et à dîner de 19 h 30 à minuit. Chacun d'eux est fermé un jour par semaine, variable d'un restaurant à l'autre. Si vous tenez à un en particulier, il est prudent de réserver une table par téléphone, surtout à l'heure du coup de feu (vers 13 h 30 et 21 h).

Que manger

Toute *trattoria* qui se respecte exposera sur une longue table voisine de l'entrée une véritable mosaïque de ses **antipasti** (hors-d'œuvre). Le mieux est de composer soi-même son assortiment *(antipasto misto).* A la fois appétissants et savoureux, les *peperoni* à manger froids sont des poivrons grillés, pelés et marinés dans de l'huile d'olive et du jus de citron. Champignons *(fung-* 97 hi), courgettes *(zucchini)*, aubergines *(melanzane)*, artichauts *(carciofi)* et fenouil *(finocchio)* en tranches sont également servis froids, avec un assaisonnement *(pinzimonio)*. Un des hors-d'œuvre les plus rafraîchissants est la *mozzarella alla caprese,* tranches de fromage et de tomates assaisonnées de basilic frais et d'huile d'olive. Le jambon de Parme se présente en tranches fines avec du melon *(prosciutto con melone)* ou, mieux encore, des figues fraîches.

Les **soupes** courantes sont celle aux légumes *(minestrone)* et le bouillon clair *(brodo)*, mêlé d'un œuf battu *(stracciatella)*.

Les **pâtes** constituent généralement le premier d'au moins trois services. Même sans imiter les Italiens, vous ne sauriez faire un repas d'un plat de spaghetti.

On dit qu'il existe quelque 360 formes et chaque année voit s'en inventer de nouvelles. Chaque sauce – à la tomate, à la crème, au fromage, à la viande ou au poisson – nécessite son propre type de pâtes. D'autres noms que ceux des spaghetti et des macaronis vous seront familiers: les *lasagne* cuites au four avec des couches de pâte, de sauce à la viande et de béchamel, les *cannelloni* cylindriques, les *ravioli* farcis et les *fettuccine* ou *tagliatelle* en forme de rubans. Puis vient la série des *tortellini, cappelletti* et *agnolotti* (toutes des variétés de ravioli), des *linguine* courbes, des plates *pappardelle*, des *penne* ressemblant à des plumes, des *rigatoni* cannelées et des *gnocchi* de pomme de terre ou de semoule. Découvrez vous-même les 346 autres.

Et il existe presque autant de sauces. La plus renommée est la *bolognese,* dite aussi *ragù;* la meilleure comporte hachis de bœuf, purée de tomates, oignons, foies de poulet hachés, jambon, carottes, céleri, vin blanc et muscade. L'éventail des autres sauces courantes comprend la *pomodoro* (tomates, ail et basilic), simple mais savoureuse, l'*aglio e olio* (ail, huile d'olive et piments), la *carbonara* (lardons et œuf), la *matriciana* (porc salé et tomates), la *pesto* (basilic et ail pilés dans de l'huile d'olive avec des pignons et du fromage, le pecorino) et la *vongole* (coques et tomates).

Autre invention italienne qui a fait le tour du monde, la **pizza** est l'objet d'une recherche dont témoigne à elle seule sa garniture: tomates, jambon, fromage, champignons, poivrons, anchois, cœurs d'artichauts, œuf, coques, thon, ail – ou à la fantaisie du cuisinier. C'est un «médianoche» apprécié, après le spectacle.

La pièce de résistance sera un copieux plat de **viande**. Le veau a droit à la place d'honneur, avec la grande spécialité romaine qu'est la *saltimbocca*, une tranche de veau au jambon, à la sauge et au marsala. Essayez la côtelette *(costoletta)* panée cuite à la poêle, ou les *scaloppine al limone* (rouelles de veau au citron). L'*osso buco* est du jarret de veau cuisiné dans du beurre, avec des tomates, des oignons et des champignons.

Le bœuf *(manzo)* et le porc *(maiale)* sont le plus souvent servis tels quels, grillés au charbon de bois ou rôtis *(arrosto* ou *al forno)*. La côte de bœuf grillée à la florentine *(bistecca alla fiorentina)* coûte une fortune, mais pour une fois, au diable l'avarice! Le *bistecca* ou *filetto* fait plus modeste. Les Romains revendiquent le meilleur rôti de chevreau *(capretto)*, de porcelet *(porchetta)* – cuit entier à la broche – ou d'agneau de lait

Une entrée de pâtes, ça n'a vraiment rien de déséquilibrant...

(abbacchio), aromatisé avec de l'ail, de la sauge et du romarin, saupoudré de farine et assaisonné juste avant de servir avec du beurre d'anchois. Le poulet se présente le plus couramment grillé *(pollo alla diavola)* ou sous forme de blancs au jambon et au fromage *(petti di pollo alla bolognese)*.

Le **poisson** est préparé très simplement – grillé, bouilli ou frit. On peut trouver des langoustines *(scampi)*, des bouquets *(gamberi)*, des moules *(cozze)*, des sardines fraîches *(sarde)*, mais aussi des calmars *(calamari)* et des poulpes *(polpi)* craquant sous

la dent. Pensez également au bar *(spigola)*, au rouget *(triglia)* et à l'espadon *(pesce spada)*. Le *fritto misto di pesce* est une friture mêlant surtout crevettes et poulpes.

La garniture de **légumes** doit être commandée à part. Ceux-ci sont fonction de la saison, mais vous trouverez sûrement des épinards *(spinaci)*, des endives *(cicoria)*, des haricots verts *(fagioli)* apprêtés au beurre et à l'ail, des petits pois *(piselli)* et des courgettes *(zucchini)*. Les plus nobles sont les grands cèpes *(funghi porcini)*, parfois farcis *(ripieni)* avec du lard, de l'ail, du persil et du fromage. Les

truffes blanches sont un délicat mets d'automne. Essayez les poivrons rouges mijotés avec des tomates *(peperonata)* ou les aubergines farcies avec des anchois, des olives et des câpres. Du quartier juif sont originaires les exceptionnels *carciofi alla giudea,* artichauts entiers frits jusqu'à en être croustillants.

Parmi les **fromages**, le fameux parmesan *(parmigiano)* se mange également seul et non uniquement râpé sur la soupe ou les pâtes. Le plateau de fromages peut aussi offrir un bleu, le *gorgonzola,* du *provolone,* fromage de bufflonne, du *fontina* crémeux, le piquant *taleggio* de lait de vache ou le *pecorino* au lait de brebis. La *ricotta* se sucre et s'aromatise avec de la cannelle.

Le **dessert** est avant tout synonyme de *gelati,* les glaces les plus crémeuses du monde. Mais elles ne sont jamais meilleures que chez un glacier *(gelateria),* dont Rome est fort bien pourvue. La *zuppa inglese,* variété italienne du diplomate, peut tout aussi bien consister en une préparation extrêmement épaisse et riche dans laquelle entrent fruits, crème, biscuit et marsala, qu'en une décevante tranche de gâteau sans saveur.

On peut préférer le diplomate parfumé au café *(tirami sù).* Le *zabaglione* aux jaunes d'œufs battus, au sucre et au marsala devrait être servi tiède ou renvoyé.

Pour varier, vous trouverez de succulents fruits de saison *(frutta della stagione):* fraises *(fragole)* ou minuscules fraises des bois *(fragolini del bosco),* servies avec de la crème fouettée ou du jus de citron, raisin *(uva),* abricots *(albicocche)* ou figues *(fichi)* fraîches, noires et blanches.

Les boissons

Tous les restaurants, aussi modestes soient-ils, vous proposeront le vin ouvert de la maison – rouge ou blanc – en carafe, ainsi qu'un bon choix de crus en bouteille.

Le vin de terroir de Rome provient de la province du Lazio, dont le riche sol volcanique produit un fumet particulier. Les blancs des monts Albains, dénommés castelli romani, secs ou doux, sont légers et agréables. Le plus célèbre est le frascati.

Originaires de plus loin, les chiantis de Toscane et d'Ombrie se trouvent partout, comme les valpolicella, barolo et gattinara délicieusement veloutés. Le falerno, prisé dès l'Antiquité, est encore en fa- **101** veur aujourd'hui. Pensez à cette insolite appellation, l'Est! Est! Est! de Montefiascone.

La bière italienne connaît une popularité grandissante, mais elle n'est pas aussi forte que les marques d'Europe du Nord. Les Italiens commandent aussi au repas de l'eau minérale *(acqua minerale)*, pétillante *(gasata)* ou plate *(naturale)*.

A l'apéritif, les amers comme le Campari et le Punt e Mes sont rafraîchissants avec de l'eau de Seltz et du citron. Beaucoup de vermouths seraient plutôt doux que secs. Comme digestifs, essayez la *sambuca* à la saveur anisée où nage une *mosca* («mouche») qui est un grain de café, ou la *grappa*, eau-de-vie obtenue en distillant du raisin.

Prix et pourboire

Si des restaurants proposent un menu à prix fixe comportant trois plats *(menu turistico* ou *prezzo fisso)* de caractère économique, on mange presque toujours mieux à la carte.

Attention! Conformément à la loi, tous les restaurants doivent maintenant délivrer un reçu en bonne et due forme indiquant la taxe à la valeur ajoutée (IVA). Un client peut se voir infliger une amende à la sortie s'il n'est pas en mesure de la produire. L'addition comprend en général couvert *(coperto)* et service *(servizio)*.

Il est d'usage de laisser au garçon un pourboire de l'ordre de 5 à 10% de l'addition. N'en donnez jamais un au patron, quel que soit son empressement auprès de vous; il serait vexé.

Pour vous aider à commander...

beurre	**del burro**	poivre	**del pepe**
bière	**una birra**	pommes de terre	**delle patate**
café	**un caffè**		
crème	**della panna**	salade	**dell'insalata**
eau (frappée)	**dell'acqua (fredda)**	sel	**del sale**
		serviette	**un tovagliolo**
fruit	**della frutta**	soupe	**una minestra**
glace	**un gelato**	sucre	**dello zucchero**
lait	**del latte**	thé	**un tè**
pain	**del pane**	viande	**della carne**
poisson	**del pesce**	vin	**del vino**

BERLITZ-INFO

Comment y aller

PAR AVION (Vols de ligne)

Au départ de la Belgique. Vous avez, chaque jour, trois ou quatre services entre Bruxelles et Rome, en 2 h environ.

Au départ du Canada (Montréal). Selon la saison, il existe jusqu'à quatre vols directs par semaine en 7 h 50 min.

Au départ de la France. *Paris–Rome:* de nombreux vols directs relient chaque jour les deux capitales en 1 h 55 min. *Province–Rome:* sont en relation avec la Ville éternelle chaque jour ou plusieurs fois par semaine par liaisons directes: Bordeaux (en 2 h 30 min), Lyon (en 1 h 25 min), Marseille (en 1 h 15), Nice (en 1 h 05).

Au départ de la Suisse romande. Vous avez plusieurs services quotidiens entre Genève et Rome en 1 h 20 min environ.

En Italie même. Rome est reliée fréquemment à: Bari, Cagliari, Gênes, Milan, Naples, Palerme, Turin, Venise, etc.

PAR ROUTE

Au départ de Paris, prenez l'autoroute A6 en passant par Lyon; au-delà de Chambéry, quittez l'autoroute pour emprunter la route normale: tunnel du Fréjus–Turin; ensuite, l'autoroute est continue jusqu'à Rome (1465 km *via* Gênes et Florence). Au départ de Bruxelles, le plus simple est de gagner Paris pour rejoindre l'itinéraire précédent (1765 km). De Genève enfin, gagnez le tunnel du Mont-Blanc avant de vous engager, à Aoste, sur l'autoroute (850 km jusqu'à Rome).

PAR TRAIN

Au départ de Bruxelles, l'*Edelweiss* achemine des voitures-lits ou couchettes directes; le trajet demande 17 h 15 min. De Paris, vous avez deux rapides de nuit directs *via* Modane: le *Palatino* (liaison en 14 h 50 min) et le *Napoli-Express* (en 17 h 40 min). Depuis Genève, il existe un train de nuit direct *via* Milan (en 12 h 10 min). – Quelques services de Train Autos Couchettes (TAC): Bruxelles–Milan, Paris–Milan, Milan ou Turin–Rome.

Quand y aller

Nous vous conseillons de voyager hors saison, au début ou à la fin de l'été: il y aura moins de monde et la chaleur sera moins éprouvante. Certaines périodes, toutefois, peuvent être fraîches, de même que certaines soirées; juillet et août restent les mois les plus chauds.

Températures	J	F	M	A	M	J	J	A	S	O	N	D
max. °C	17	14	22	26	30	30	35	34	30	28	20	17
min. °C	0	3	2	7	8	13	14	16	13	5	4	0

Pour équilibrer votre budget...

Pour vous donner une idée du coût de la vie, voici une liste de prix moyens naturellement exprimés en lires (L). Ces prix n'ont toutefois qu'une valeur indicative en raison de l'inflation.

Aéroports (transferts). *Autobus:* de Fiumicino à la gare Termini L 5000, de Ciampino au métro Anagnina L 700. *Taxi:* de Fiumicino au centre-ville L 50 000–60 000.

Alimentation. Pain (500 g) L 1200, beurre (250 g) à partir de L 2000, œufs (les 6) à partir de L 1300, bifteck (500 g) à partir de L 5000, café (200 g) à partir de L 2500, vin (la bouteille) à partir de L 3000.

Camping. L 7700 par personne et par nuit. Caravane/motorhome L 7000, tente L 3900, voiture L 3200, moto L 1500.

Coiffeurs. *Dames:* shampooing et mise en plis ou brushing L 30 000–50 000, permanente L 100 000–120 000. *Messieurs:* coupe L 10 000–25 000, coupe avec shampooing L 20 000–40 000.

Distractions. *Cinéma* L 5000, *discothèque* (entrée et première consommation) L 20 000–30 000, *opéra en plein air* L 10 000–30 000.

Gardes d'enfants. L 5000–7000 l'heure, plus le transport.

Hôtels (chambre double avec bains, taxes et services compris) ★★★★★ L 440 000–500 000, ★★★★L 390 000–495 000, ★★★L 300 000–350 000, ★★L 186 000–285 000, ★L 90 000–150 000.

Location de voitures. Ces prix incluent le kilométrage illimité: *Fiat Panda 45* L 150 000 par jour, L 560 000 par semaine. *Alfa 33* L 260 000 par jour, L 686 000 par semaine.

Musées. L 5000–8000.

Repas et boissons. Petit déjeuner L 5000, déjeuner ou dîner (dans un bon établissement) L 30 000–40 000, café pris à une table L 3000–5000, au comptoir L 900–1500; bière (la canette) L 4000–5000; boissons sans alcool L 1500–3000; apéritifs à partir de L 5000.

Transports. *Autobus/métro:* tarif unique L 700. Carnet de 10 coupons L 6000. Carte libre-parcours d'une demi-journée (autobus) L 1000.

Taxis. L 3000 pour les premiers 200 mètres ou période d'une minute; L 250 pour chaque tranche suivante de 300 mètres ou 60 secondes. Prise en charge de nuit L 3000; valises L 500 pièce; dimanche et jours fériés: supplément de L 3000.

Informations pratiques classées de A à Z pour un voyage agréable

Le titre de certaines rubriques importantes est suivi de sa traduction en italien (en général au singulier). En outre, des expressions clés, placées à la fin de plusieurs rubriques, vous rendront service lorsque vous voudrez demander de l'aide ou solliciter un renseignement.

A   **AÉROPORTS** *(aéroporto)*. Rome est desservie par deux aéroports: **Leonardo da Vinci**, couramment appelé Fiumicino (à 30 km au sud-ouest de la capitale, sur la côte), et **Ciampino** (à 16 km au sud-est par la via Appia Nuova). Si le premier est surtout affecté aux lignes régulières, le second accueille essentiellement des charters. Fiumicino dispose de deux terminaux: l'un pour les vols intérieurs, l'autre pour les liaisons internationales.

Service d'information des aéroports:

Fiumicino, tél. 6 01 21
Ciampino, tél. 46 94

Transferts depuis les aéroports. Des bus relient Fiumicino toutes les 15 minutes à l'aérogare de Termini, au centre de la capitale. Un même service unit toutes les demi-heures Ciampino à Anagnina, d'où l'on peut rallier Rome par le métro.

Heures limite d'enregistrement. Présentez-vous au guichet d'enregistrement 90 minutes avant le décollage pour les vols internationaux et une demi-heure avant l'appel pour les liaisons intérieures. Les bagages ne peuvent être enregistrés qu'à l'aéroport. Enfin, prenez la peine de téléphoner à l'aéroport *et* à l'aérogare quelques heures avant le départ pour vous assurer que l'heure de vol n'a pas changé.

Porteur!	**Facchino!**
Veuillez porter ces valises	**Mi porti queste valige fino**
au bus/au taxi, s'il vous plaît.	**all'autobus/al taxi, per favore.**

ARGENT (voir aussi HEURES D'OUVERTURE)

Monnaie. La *lira* (pluriel *lire;* en abrégé *L* ou *Lit*) est l'unité monétaire italienne.

Pièces: 5, 10, 20, 50, 100, 200 et 500 lires.
Billets: 1000, 2000, 5000, 10 000, 50 000 et 100 000 lires.
Pour les prescriptions monétaires, voir FORMALITÉS D'ENTRÉE ET CONTRÔLES DOUANIERS.

Bureaux de change *(cambio).* Ils sont généralement ouverts de 9 h à 13 h 30 et de 14 h 30 à 18 h. Beaucoup ferment le samedi.

Le taux de change y est moins avantageux que dans les banques; le taux de la commission perçue étant uniforme, il ne vaut pas la peine de changer des petites sommes. Une pièce d'identité est parfois demandée pour ce genre d'opération.

Cartes de crédit et chèques de voyage. La plupart des hôtels, beaucoup de magasins et certains restaurants acceptent les cartes de crédit. Les chèques de voyage, eux, sont admis presque partout, mais il est plus avantageux de les changer dans une banque ou dans un *cambio*. Quant aux eurochèques, ils sont acceptés presque partout. Dans tous les cas, une pièce d'identité est nécessaire.

Je désire changer des francs belges/français/suisses/ des dollars canadiens.	**Desidero cambiare dei franchi belgi/francesi/svizzeri/ dollari canadesi.**
Acceptez-vous les chèques de voyage?	**Accetta traveller's cheques?**
Puis-je payer avec cette carte de crédit?	**Posso pagare con questa carta di credito?**

BLANCHISSERIE et TEINTURERIE *(lavanderia; tintoria).* Rome compte de plus en plus de laveries automatiques, où vous pourrez soit faire votre lessive vous-même, soit, pour quelques lires supplémentaires, la confier à la préposée. Certaines laveries proposent même nettoyage à sec et repassage. A défaut, vous trouverez bien une *tintoria* offrant un service normal ou exprès.

La plupart des hôtels sont à même de proposer à leur clientèle ce genre de service, mais à des tarifs nettement plus élevés.

Quand est-ce que ce sera prêt?	**Quando sarà pronto?**
Il me le faut pour demain matin.	**Mi serve per domani matina.**

C **CAMPING.** Rome et ses environs offrent quelque 20 terrains officiels, dont la plupart sont dûment aménagés (eau, électricité, toilettes, etc.). Vous en trouverez la liste dans les pages jaunes de l'annuaire téléphonique, sous *Campeggio-Ostelli-Villaggi Turistici*. L'Ente Nazionale per il Turismo (voir OFFICES DU TOURISME) est également en mesure de vous fournir une liste de terrains et de vous indiquer les tarifs et les aménagements.

Le Touring Club Italiano (TCI) et l'Automobile Club d'Italia (ACI) publient de leur côté des listes de campings et de villages touristiques, en vente dans les librairies ou disponibles dans les bureaux de l'office du tourisme.

Pouvons-nous camper ici?	**Possiamo campeggiare qui?**
Y a-t-il un camping à proximité?	**C'è un campeggio qui vicino?**
Nous avons une tente/une caravane.	**Abbiamo la tenda/la roulotte.**

CARTES et PLANS *(pianta).* On trouve un grand choix de cartes et de plans dans les kiosques et les offices de tourisme. Tenez compte de la date de parution, les publications étant parfois trop anciennes pour être réellement utiles; d'autres s'ornent de jolies reproductions du Colisée ou de Saint-Pierre, mais ne respectent guère la topographie réelle.

Les cartes et les plans contenus dans ce guide ont été réalisés par Falk-Verlag à Hambourg, qui publie par ailleurs un plan de Rome.

CIGARETTES, CIGARES, TABAC *(sigarette, sigari, tabacco).* L'Etat qui s'en est réservé le monopole contrôle évidemment les prix. Ils ne sont donc en vente que dans les bureaux de tabac officiels – facilement reconnaissables à leur grand panneau orné d'un «T» blanc sur fond sombre placé au-dessus de l'entrée –, ainsi que dans les kiosques à journaux de certains hôtels et aux comptoirs de certains cafés.

N.B. Il est interdit de fumer dans les transports en commun, les taxis, dans la plupart des cinémas et des théâtres, ainsi que dans certains magasins.

Je voudrais un paquet de...	**Vorrei un pacchetto di...**
avec/sans filtre	**con/senza filtro**
Je voudrais une boîte d'allumettes, s'il vous plaît.	**Per favore, mi dia una scatola di fiammiferi.**

COIFFEURS et BARBIERS *(parruchiere; barbiere)*. A Rome, les
salons pour dames ou messieurs ne manquent pas. Il n'en est pas moins
conseillé de prendre rendez-vous (de toute façon, on vous fera
probablement attendre). Voir aussi POURBOIRES.

Je voudrais un shampooing et une mise en plis.	**Vorrei shampo e messa in piega.**
Je désire...	**Voglio...**
une coupe	**il taglio**
un rasage	**la rasatura**
un brushing	**l'asciugatura al fono**
une permanente	**la permanente**

CONDUIRE EN ITALIE

Entrée en Italie. Pour passer la frontière avec votre voiture, il vous sera
demandé:

- un permis national valable (permis international pour les non-Européens)
- une carte grise (permis de circulation du véhicule)
- une carte verte (attestation de votre assurance certifiant que votre police est aussi valable en Italie)
- un triangle de panne
- un autocollant indicatif de nationalité

Avant le départ, consultez votre association automobile pour avoir
communication des dernières dispositions en vigueur au sujet des bons
d'essence, qui valent aux touristes une réduction appréciable sur le prix
du carburant. (Ces dispositions varient d'année en année.)

Limitations de vitesse. La vitesse autorisée varie selon le type de route et
la cylindrée du véhicule. Le tableau ci-dessous vous aidera à vous y
retrouver.

Cylindrée	Autoroutes	Autres routes
Plus de 1100 cm^3	130 km/h	90 km/h
Moins de 1100 cm^3	110 km/h	90 km/h

Dans les agglomérations, la vitesse est généralement limitée à 50 km/h.
Ces limitations de vitesse peuvent être modifiées en tout temps; vous
avez donc intérêt à vous renseigner auprès de votre association
automobile avant de partir.

C **Règles de circulation.** On roule à droite et on double par la gauche. Le trafic des voies principales a priorité sur celui des routes secondaires, mais cette règle, comme beaucoup d'autres, est souvent ignorée; aussi soyez prudent. Aux carrefours de routes de même importance, le véhicule venant de la droite est *théoriquement* prioritaire.

L'utilisation des autoroutes *(autostrada)* est payante. Le réseau routier est dans l'ensemble excellent. N'oubliez pas de boucler votre ceinture de sécurité (obligatoire depuis 1989).

Au volant à Rome. Seuls les conducteurs les plus intrépides garderont leur sang-froid lorsqu'ils seront confrontés aux «virtuoses du volant» que sont les Romains. En dépit de la première impression de chaos absolu qui vous saisira en débouchant sur l'une des places principales, vous discernerez rapidement une certaine méthode dans cette folie apparente. Les conducteurs de la capitale ne sont pas fous, mais simplement habitués à une autre façon de conduire. Vous en sortirez sain et sauf si vous surveillez en permanence vos côtés et vos arrières.

Les feux et les «stop» au débouché des rues transversales sont en principe garants de votre sécurité; soyez cependant circonspect, la priorité de droite n'étant pas forcément respectée.

Pour avancer dans un embouteillage ou sur une place, progressez lentement mais fermement. Céder le passage par courtoisie à une voiture équivaut pratiquement à renoncer à vos droits d'automobiliste...

Une partie du centre est désormais fermée au trafic; seuls, les bus, les taxis, les véhicules de livraison et les riverains sont autorisés à circuler, et la zone piétonnière s'étend d'année en année.

Police de la route *(polizia stradale)*. A l'entrée des villes et de nombreuses bourgades, un panneau indique le numéro de téléphone des *carabinieri* ou de la police.

La police routière circule à moto ou en Alfa Romeo, généralement bleu clair. Les amendes, pour excès de vitesse, sont souvent exigibles sur-le-champ; demandez un reçu *(ricevuta)*.

Pannes. Des téléphones de secours sont disposés à intervalles réguliers le long des autoroutes. Composez le 116 pour obtenir le service de dépannage de l'ACI.

Carburants. Les stations-service prolifèrent; la majorité d'entre elles ont au moins un mécanicien de service. Mais la plupart sont fermées le dimanche, et chaque jour de midi à 15 heures.

Le prix de l'essence *(benzina)* est fixé par le gouvernement. Vous trouverez partout du super (indice d'octane 98–100), de la normale (86–88) et généralement du diesel. Quant à l'essence sans plomb, elle n'est distribuée que dans certaines stations.

Stationnement. C'est un véritable casse-tête pour les touristes motorisés comme pour les Romains. Le plus sage est encore de vous garer dans un parking proche de votre hôtel et de visiter la ville à pied ou en empruntant les transports publics; ne reprenez votre voiture que le jour de votre départ. L'Automobile Club d'Italie (ACI) loue des places de stationnement, mais elles sont coûteuses et non surveillées la nuit. De nombreux «gardiens» de parking – indépendants – vous proposeront de veiller sur votre voiture contre paiement... même si elle est en stationnement interdit! En ce domaine, évitez l'illégalité, les véhicules étant aussitôt emmenés en fourrière. Et l'amende est salée! Pour savoir où récupérer votre voiture, vous devrez d'abord vous rendre à la police municipale *(vigili urbani)*.

Dans tous les cas, à quelque heure que ce soit, et même devant un poste de police, retirez tout objet de valeur de votre véhicule avant d'en verrouiller les portières (voir aussi DÉLITS ET VOLS).

Signalisation routière. Les signaux routiers sont en général conformes à la pratique internationale. Certains panneaux portent cependant des inscriptions en italien. Voici la traduction de certains d'entre eux:

Accendere le luci	Allumez vos phares
Curva pericolosa	Virage dangereux
Divieto di sorpasso	Interdiction de dépasser
Divieto di sosta	Arrêt interdit
Lavori in corso	Attention: travaux
Parcheggio autorizzato	Stationnement autorisé
Passaggio a livello	Passage à niveau
Pericolo	Danger
Rallentare	Ralentir
Senso vietato/unico	Sens interdit/unique
Vietato l'ingresso	Entrée interdite
Zona pedonale	Zone piétonnière
permis de conduire (international)	**patente (internazionale)**
permis de circulation	**libretto di circolazione**
carte verte	**carta verde**
Où est le parking le plus proche?	**Dov'è il parcheggio più vicino?**
Puis-je stationner ici?	**Posso parcheggiare qui?**
Sommes-nous sur la bonne route pour...?	**Siamo sulla strada giusta per...?**
Le plein, s'il vous plaît!	**Per favore, faccia il pieno.**
super/normale	**super/normale**
sans plomb/gazole	**senza piombo/gasolio**

C Vérifiez l'huile/les pneus/
la batterie.
Je suis en panne.
Il y a eu un accident.

**Controlli l'olio/i pneumatici/
la batteria.
Ho avuto un guasto.
C'è stato un incidente.**

CONSULATS et AMBASSADES *(consolato; ambasciata)*. Tous les pays – ou presque – ont une ambassade à Rome.

Belgique:	49, via dei Monti Parioli; tél. 3 60 94 41
Canada:	27, via G. Battista De Rossi; tél. 8 41 53 41/4
France:	(ambassade) 67, piazza Farnese; tél. 6 68 60 11
	(consulat général) 251, via Giulia; tél. 6 54 21 52
Suisse:	61, via Barnaba Oriani; tél. 80 36 41/45

La plupart des consulats sont ouverts au public de 9 h à 17 h, du lundi au vendredi (avec une pause à midi). De nombreux pays ont une seconde ambassade, près le Vatican, avec siège à Rome.

Où est le consulat (l'ambassade)
belge/canadien(ne)/français(e)/
suisse?

**Dov'è il consolato (l'ambasciata)
belga/canadese/francese/
svizzero(a)?**

D **DÉCALAGE HORAIRE.** L'Italie vit à l'heure GMT + 1, mais, à l'instar de la plupart des pays européens, elle adopte l'heure d'été (GMT + 2) de la fin mars à la fin septembre; en haute saison, lorsqu'il est midi à Rome, Genève, Paris et Bruxelles, il n'est encore que 6 h à Montréal.

DÉLITS et VOLS *(delitto; furto)*. Les crimes sont heureusement rares à Rome. Néanmoins, les petits vols sont une source d'ennuis sans fin; là encore, mieux vaut prévenir que guérir. Laissez à l'hôtel les documents et l'argent liquide que vous ne comptez pas utiliser, et placez vos valeurs dans une poche intérieure. Pickpockets et voleurs de sacs fréquentent assidûment les lieux touristiques; une technique couramment pratiquée par les jeunes «tire-laine» consiste à vous suivre à moto; parvenus à votre hauteur, ils coupent les lanières de votre sac avec une lame de rasoir pour ensuite se fondre dans la circulation. Soyez particulièrement vigilant dans les transports en commun et les endroits isolés. Il peut s'avérer utile de faire des photocopies de vos billets, passeport et autres documents importants pour faciliter les déclarations de vol et obtenir leur remplacement.

Vous découragerez les voleurs de voitures – ils s'attaquent au véhicule
112 et à son contenu – en vidant votre automobile de ses objets de valeur et

même des gadgets que vous emportez d'ordinaire. Laissez la boîte à gants vide et ouverte: les «amateurs» en puissance en seront pour leurs frais. Si votre hôtel possède un garage privé, laissez-y bien entendu votre voiture.

Je voudrais déclarer un vol.	**Voglio denunciare un furto.**
On m'a dérobé mon portefeuille/	**Mi hanno rubato il portafoglio/**
mon sac à main/mon passeport/	**la borsa/il passaporto/**
mon billet.	**il biglietto.**

EAU *(acqua).* L'eau de la capitale – et celle de nombreuses fontaines – est parfaitement potable et elle passe pour excellente. Mais à table, les Romains lui préfèrent l'eau minérale. Au cas où l'eau ne serait pas potable, vous liriez l'indication *acqua non potabile.*

Je voudrais une bouteille d'eau	**Vorrei una bottiglia di acqua**
minérale.	**minerale.**
gazeuse/plate	**gasata/naturale**

ÉLECTRICITÉ *(elettricità).* Prises et fiches varient en fonction du voltage (220 volts, 50 hertz, mais aussi 125 volts) en vigueur à Rome. Dans les hôtels, une inscription placée à côté des prises de courant indique d'ordinaire le voltage utilisé; en cas de doute, renseignez-vous à la réception.

FORMALITÉS D'ENTRÉE et CONTRÔLES DOUANIERS. Pour un séjour de moins de trois mois, les Suisses et les ressortissants d'un pays de la CEE présenteront un passeport dont la date d'expiration n'excède pas cinq ans ou une carte d'identité valable. Les Canadiens, eux, se muniront d'un passeport valable.

Prescriptions monétaires. Il n'y a pas de limites prévues au montant des devises – locales ou étrangères – importées par les touristes étrangers. En partant, la réexportation d'un montant de plus d'un million de lires ou des sommes supérieures à la contre-valeur de cinq millions de lires ne sont permises que moyennant déclaration à l'entrée dans le pays à l'aide du formulaire spécial V2.

Pour quitter l'Italie avec des pierres précieuses, des œuvres d'art ou des pièces archéologiques, vous devrez présenter un certificat de vente et une autorisation du Département des Beaux-Arts *(Ministero delle Belle Arti).* Les démarches sont en règle générale effectuées par le vendeur. Voici, pour certains produits, les quantités que vous êtes autorisé à importer en Italie et à en rapporter en franchise:

F

	Cigarettes		Cigares		Tabac	Alcool		Vin
Italie 1)	300	ou	75	ou	400 g	1,5 l	ou	3 l
2)	200	ou	50	ou	250 g	0,75 l	et	2 l
3)	400	ou	100	ou	500 g	0,75 l	et	2 l
Belgique	200	ou	50	ou	250 g	1 l	et	2 l
Canada	200	et	50	et	900 g	1,1 l	ou	1,1 l
France	300	ou	75	ou	400 g	1,5 l	et	5 l
Luxembourg	200	ou	50	ou	250 g	1 l	et	2 l
Suisse	200	ou	50	ou	250 g	1 l	et	2 l

1) Résidents européens en provenance d'un pays de la CEE.
2) Résidents européens en provenance d'un pays non membre de la CEE.
3) Résidents de pays extra-européens.

Je n'ai rien à déclarer.	**Non ho nullo da dichiarare.**
C'est pour mon usage personnel.	**È per mio uso personale.**

FORMULES DE POLITESSE. En entrant dans un magasin, un restaurant ou un bureau et en en sortant, les Italiens, bien qu'assez peu formalistes, se saluent d'un *buon giorno* (bonjour) ou d'un *buona sera* (bonsoir). Pour demander un renseignement, utilisez la formule *per favore* (s'il vous plaît) et, pour remercier, *grazie*. On vous répondra *prego* (je vous en prie). *Piacere* (enchanté) se dit au moment des présentations. Il faut bien connaître un Italien pour lui lancer un *ciao* en guise de salut.

Si quelqu'un vous souhaite *buon appetito,* vous répondrez *grazie, altrettanto* (merci, à vous aussi).

Comment allez-vous?	**Come sta?**
Très bien, merci.	**Molto bene, grazie.**

G **GARDES D'ENFANTS.** A l'hôtel, le réceptionniste pourra probablement vous procurer une personne de confiance. Par ailleurs, la presse locale publie sous la rubrique *Bambinaia* des annonces émanant de baby-sitters. Il existe enfin des agences spécialisées, répertoriées dans l'annuaire téléphonique sous *Baby Sitter*. Téléphonez si possible un ou deux jours à l'avance.

114 Pouvez-vous me trouver une garde d'enfants pour ce soir?	**Può trovarmi una bambinaia per questa sera?**

GUIDES et EXCURSIONS. La plupart des hôtels se chargeront de vous procurer un interprète ou un guide. Consultez aussi la rubrique *Traduzione* dans les pages professionnelles de l'annuaire téléphonique.

Aux abords des principaux sites touristiques, les guides polyglottes ne manquent pas, et, en certains endroits, vous aurez la possibilité de louer un enregistreur à cassettes (avec commentaire en français).

La CIT, et d'autres organismes italiens et étrangers proposent aussi bien des tours de ville que des excursions dans la campagne romaine. En général, les touristes sont pris et ramenés à leur hôtel. Le réceptionniste tient une liste des compagnies et des excursions qu'elles organisent.

HABILLEMENT. De mai à septembre au moins, les Romaines ne portent guère que des robes légères en coton et parfois, le soir, un châle ou une petite laine. Les messieurs portent, bien entendu, des vêtements légers. Pour les touristes, des chaussures de marche sont indispensables.

Bien que les Italiens soient devenus libéraux en matière vestimentaire, shorts et «dos nus» ne sont toujours pas admis dans les églises et on vous demandera même parfois de couvrir vos bras.

Enfin, dans les piscines et sur les plages des environs de Rome, les Italiennes d'aujourd'hui portent des bikinis très réduits, et les maillots de bains masculins ne le sont guère moins!

HEURES D'OUVERTURE. A Rome même, les heures d'ouverture sont très variables. Comme c'est l'usage tout autour de la Méditerranée, les activités cessent ou tout au moins ralentissent après le déjeuner. Cependant, dans certains grands centres d'affaires à l'avant-garde, la journée continue commence à être introduite. Ce qui suit n'a donc qu'une valeur indicative.

Magasins. En été, ils sont ouverts de 8 h 30 à 13 h et de 17 h à 20 h, du lundi au samedi (fermeture hebdomadaire: généralement le lundi matin); les magasins d'alimentation sont ouverts de 8 h 30 à 12 h 30 ou 13 h et de 17 h à 19 h 30 (fermeture hebdomadaire: généralement le jeudi après-midi). Dans les régions touristiques et en saison, les boutiques restent ouvertes toute la journée et tous les jours.

Bureaux de poste. Ils ouvrent normalement de 8 h 30 à 14 h, du lundi au vendredi et jusqu'à midi le samedi. La poste principale de la piazza San Silvestro et celle de la gare Termini restent ouvertes jusqu'à 19 h 45.

Banques. Elles ouvrent de 8 h 30 à 13 h 30 du lundi au vendredi, et encore une petite heure dans l'après-midi.

H

Grandes entreprises. On y travaille de 8 ou 9 h à 13 ou 13 h 30 et de 16 ou 16 h 30 voire 17 h jusqu'à 19 h, 19 h 30 ou 20 h, du lundi au samedi. Certaines ferment le samedi après-midi.

Pharmacies. Elles fonctionnent de 8 h 30 à 13 h et de 16 h à 20 heures.

Musées et monuments historiques. On peut généralement les visiter du mardi au dimanche de 9 h à 14 h au plus tard, et dans certains cas, également de 17 h à 20 h. Le jour de fermeture est souvent fixé au lundi, mais lorsque le lundi est chômé, les musées ferment le mardi!

J

JOURNAUX et REVUES *(giornale; rivista).* Grands magazines et journaux européens sont en vente dans les kiosques du centre-ville, dans les halls de certains hôtels, au Vatican, à la gare et aux aéroports. Quand il n'y a pas de grèves, les journaux parus le matin à Paris, à Genève et à Bruxelles sont distribués à Rome le lendemain.

JOURS FÉRIÉS *(festa).* Lorsqu'un jour férié tombe sur un jeudi ou un mardi, les Italiens font le pont *(ponte)* qui inclut le vendredi ou le lundi.

1er janvier	*Capodanno* ou *Primo dell'Anno*	Jour de l'An
6 janvier	*Epifania*	Epiphanie
25 avril	*Festa della Liberazione*	Fête de la Libération
1er mai	*Festa del Lavoro*	Fête du Travail
15 août	*Ferragosto*	Assomption
1er novembre	*Ognissanti*	Toussaint
8 décembre	*Immacolata Concezione*	Immaculée Conception
25 décembre	*Natale*	Noël
26 décembre	*Santo Stefano*	Saint-Etienne
Fête mobile	*Lunedì di Pasqua*	Lundi de Pâques

Remarque: Les jours fériés sont jours de clôture pour les banques, les administrations, la plupart des magasins, certains musées et galeries.

L

LANGUE. Dans les grands hôtels et dans de nombreux magasins du centre, on saura vous répondre en français. Ailleurs, quelques notions d'italien ou un langage gestuel suffiront. Votre latin scolaire vous sera d'une utilité certaine pour déchiffrer les inscriptions sur les monuments. De toute manière, vos efforts linguistiques, même maladroits, seront très appréciés. (Le manuel de conversation Berlitz L'ITALIEN POUR LE VOYAGE et le dictionnaire Berlitz ITALIEN-FRANÇAIS/FRANÇAIS-ITALIEN vous aideront à vous faire mieux comprendre.)

Parlez-vous le français?	**Parla francese?**
Je ne parle pas l'italien.	**Non parlo italiano.**

LOCATION DE SCOOTERS et DE BICYCLETTES. Diverses agences louent des bicyclettes, en particulier une à la piazza del Popolo; il existe aussi un service de location par téléphone (la bicyclette est alors livrée à l'hôtel). Via Cavour et via della Purificazione, enfin, des maisons louent des scooters – le conducteur doit avoir 21 ans révolus.

LOCATION DE VOITURES *(autonoleggio).* Les principales agences internationales ont des bureaux en ville et dans les aéroports; toutes figurent dans les pages jaunes de l'annuaire téléphonique. Il existe également des agences locales, dont les tarifs sont souvent moins élevés; le réceptionniste de votre hôtel saura vous en recommander une.

Un permis de conduire valable est exigé (âge minimal requis: de 21 à 25 ans selon les agences). Généralement, le loueur exige une caution, sauf pour les titulaires d'une carte de crédit. Sachez enfin que l'on peut louer une voiture dans une ville et la rendre dans une autre.

J'aimerais louer une voiture (demain).	**Vorrei noleggiare una macchina (per domani).**
pour un jour/une semaine	**per un giorno/una settimana**

LOGEMENT (voir aussi CAMPING). Rome compte toutes sortes d'établissements hôteliers allant de la pension de famille *(pensione)* à l'hôtel de luxe *(albergo* ou *hotel).* En été, il est indispensable de réserver, mais le reste de l'année vous n'aurez aucun problème pour vous loger. A la gare Termini, l'office du tourisme vous renseignera volontiers sur les possibilités d'hébergement.

Si vous vous proposez de visiter la ville à pied pour vous épargner les affres du trafic romain, choisissez un hôtel dans le *centro storico* (cœur historique), de préférence à la banlieue ou aux quartiers résidentiels; les économies en frais de transport et le gain de temps compenseront les tarifs un peu élevés des établissements du centre.

Aux tarifs des hôtels que nous donnons page 105, il convient d'ajouter un supplément de 20% correspondant aux taxes et au service.

A la périphérie de la capitale, plusieurs motels ont été construits le long des grands axes. Certains ordres et congrégations, enfin, hébergent les visiteurs à des prix raisonnables.

L   **Auberges de jeunesse** *(ostello della gioventù)*. Elles sont ouvertes aux détenteurs de cartes délivrées par la Fédération internationale des auberges de jeunesse ou par l'AIG *(Associazione italiana alberghi per la gioventù)*. Voici l'adresse du siège de l'association italienne:

2, Via Carlo Poma; tél. 38 59 43

Hôtels de jour *(albergo diurno)*. Il en existe trois à Rome, dont l'un à la gare Termini. Ces établissements sont équipés de salles de bains, de toilettes, de salons de coiffure et d'une consigne.

Je voudrais une chambre à un lit/à deux lits.	**Vorrei una camera singola/ matrimoniale.**
avec bains/ douche	**con bagno/doccia**
Combien est-ce pour la nuit?	**Qual è il prezzo per una notte?**

O   **OBJETS TROUVÉS.** Si des cyniques prétendent qu'un objet perdu en Italie ne l'est pas pour tout le monde, ce n'est pas nécessairement vrai à Rome. Bien souvent, les restaurateurs mettent de côté portefeuille, guide de voyage ou appareil-photo oublié. Si vous pensez avoir perdu un objet hors de votre hôtel, allez au Bureau des objets trouvés *(Ufficio Oggetti Rinvenuti)*:

1, Via Bettoni; tél. 581 60 40

Pour un objet perdu dans le train, allez au Bureau des objets trouvés de la gare Termini, tél. 47 30/66 82; l'ATAC (régie des transports publics) possède aussi un tel bureau au 65 via Volturno, tél. 46 95.

    Prenez la peine de signaler à la police ou à votre consulat toute perte de documents.

J'ai perdu mon passeport/ mon portefeuille/mon sac à main.	**Ho perso il passaporto/ il portafoglio/la borsetta.**

OFFICES DU TOURISME. L'office national italien de Tourisme *(Ente Nazionale Italiano per il Turismo, ou ENIT)* dispose de représentations dans la plupart des grandes capitales. Cet organisme publie des brochures détaillées et à jour utiles dans l'ensemble du pays.

Belgique:	176, avenue Louise, 1050 Bruxelles; tél. 647 11 54
Canada:	1, place Ville-Marie, Suite 1914, Montréal H3B 2E3; tél. (514) 866-7667
France:	23, rue de la Paix, 75002 Paris; tél. (1) 42 66 03 96
	14, avenue de Verdun, 06048 Nice; tél. 93 87 75 81
Suisse:	3, rue du Marché, 1204 Genève; tél. (022) 28 29 22

A Rome, les principaux bureaux de l'office du tourisme se situent:
11, via Parigi; tél. 46 18 51
5, via Parigi (Centre d'assistance aux touristes); tél. 46 37 48.

Ce bureau a des antennes à la gare Termini et à Fiumicino.

Où est l'office du tourisme? **Dov'è l'ufficio turistico?**

POLICE (voir aussi CONDUIRE EN ITALIE). Fringante dans son uniforme bleu marine avec casque blanc ou sa tenue blanche à boutons dorés, la police municipale *(Vigili Urbani)* règle la circulation et s'acquitte des tâches de routine. Même s'ils ne parlent que rarement une langue étrangère, les policiers se montrent très courtois et serviables envers les touristes. Ceux qui font office d'interprètes portent un badge.

Les *Carabinieri*, (uniforme bleu foncé avec une bande rouge sur le côté des pantalons), s'occupent des vols et délits plus graves, des manifestations et des affaires militaires. La *Polizia di stato*, police nationale (veste bleu sombre et pantalons bleu clair), traite des autres affaires policières et s'occupe de l'administration.

En cas d'urgence, appelez la police au n° 113.

Où est le poste de police
le plus proche?
Dov'è il più vicino posto di polizia?

POSTES et TÉLÉCOMMUNICATIONS (voir aussi HEURES D'OUVERTURE)

Bureaux de poste *(posta* ou *ufficio postale)*. Ils acheminent, outre le courrier et les mandats, les télégrammes. On peut aussi acheter des timbres dans les débits de tabac et dans certains hôtels. Les boîtes aux lettres sont rouges. Le courrier à destination de Rome va dans la fente indiquant *per la città* et les cartes pour l'Italie ou l'étranger dans celle qui stipule *altre destinazioni*. Le service postal italien est assez lent; en revanche, le bureau de poste du Vatican fonctionne très bien, mais vous devrez acheter vos timbres et poster vos lettres dans la cité même.

Poste restante *(fermo posta)*. Evitez de vous faire envoyer du courrier à Rome si vous n'y faites qu'un court séjour. Ou alors utilisez le service de la poste restante à la poste principale, piazza San Silvestro. Vous devrez présenter votre passeport pour retirer votre courrier et vous acquitter d'une modique somme.

Télégrammes *(telegramma)*. Les télégrammes, comme les télex, peuvent être expédiés partout dans le pays ainsi qu'à l'étranger. Le service des télécopies (fax), quant à lui, s'étend rapidement.

P   **Téléphone** *(telefono)*. Des téléphones publics sont installés dans tous les endroits «stratégiques», de même que dans les bars et les cafés. Ils sont signalés par une enseigne jaune portant un cadran et un récepteur. Procurez-vous des jetons à la caisse avant de faire votre appel. A la poste principale, le palazzo delle Poste, piazza San Silvestro, le service téléphonique fonctionne de 8 h 30 à 19 h 45.

Les anciens taxiphones «avalent» toujours des jetons *(gettoni)*, que l'on peut acheter dans les bureaux de poste, les hôtels, les bars et les tabacs. Les cabines modernes, elles, sont pourvues d'un système à deux fentes, l'une pour les jetons, l'autre pour les pièces de monnaie.

Vous pourrez établir vos communications avec l'étranger à partir des cabines portant l'inscription *Teleselezione*, mais munissez-vous d'une bonne provision de jetons. Certains appareils acceptent les télécartes d'une valeur de 5000 ou 10 000 lires, que l'on se procurera dans les bureaux de la SIP (Service des téléphones italiens).

Quelques numéros utiles:

Renseignements (Rome et Italie)	12
Opératrice (Europe)	15
Opératrice (appels intercontinentaux)	170
Télégrammes internationaux	185

Donnez-moi... jetons, s'il vous plaît.	**Per favore, mi dia... gettoni.**
Je voudrais un timbre pour cette lettre/carte.	**Desidero un francobollo per questa lettera/cartolina.**

POURBOIRES. Bien que le service soit porté sur l'addition dans la plupart des restaurants, il est d'usage de laisser un pourboire. De même, vous laisserez la pièce au portier, au chasseur, à la préposée au vestiaire ou au pompiste. Quelques suggestions:

Bagagiste, par bagage	L 1000
Femme de chambre, par jour	L 1000–2000
Préposée aux lavabos	L 300
Serveur	5–10%
Chauffeur de taxi	10%
Coiffeur	jusqu'à 15%
Guide	10%

RADIO et TÉLÉVISION *(radio; televisione).* Pendant la saison touristique, la RAI, radio et télévision d'Etat, transmet le matin et en fin de soirée un bulletin de nouvelles (essentiellement axé sur l'Italie) en français. Sur les programmes de Radio-Vatican, vous entendrez des émissions religieuses en diverses langues tout au long de la journée.

RÉCLAMATIONS. Pour éviter des situations déplaisantes, observez la règle d'or du commerce en Italie: faites-vous spécifier, par écrit de préférence, les conditions (prix, suppléments, taxes) des services que vous recevrez. Si rien n'y fait, essayez d'en appeler à l'office du tourisme local ou à la police. Dans les hôtels, restaurants et magasins, adressez vos réclamations au directeur *(direttore)* ou au propriétaire *(proprietario).*

Si vous jugez excessif le prix d'une course en taxi, commencez par vous en référer à l'affichette apposée obligatoirement dans tous les taxis du pays, qui spécifie quels suppléments le chauffeur est en droit de vous demander.

Enfin, en cas de vol manifeste, ou pour toute autre affaire grave, adressez-vous à la police (voir POLICE).

SERVICES RELIGIEUX. Outre l'église nationale de France, Saint-Louis-des-Français (en face du Sénat), quelques églises, catholiques ou non, célèbrent des offices en français.

D'autre part, des messes sont dites à la basilique Saint-Pierre tous les jours. Le dimanche, on célèbre la grand-messe à 10 h 30, à 16 h et les vêpres à 17 h. Les autres jours, la messe a lieu à 7 h, à 9 h, à 10 h, à 11 h et à midi; et la grand-messe à 17 h. Le jeudi à 9 h, une messe est célébrée à l'intention des pèlerins. Il arrive que des services soient dits en français dans les chapelles latérales de Saint-Pierre. On vous confirmera les heures sur place.

Enfin, c'est au Lungotevere dei Cenci que s'élève la grande synagogue de Rome.

SOINS MÉDICAUX (voir aussi URGENCES). Avant de partir, vérifiez avec votre assureur que votre police couvre bien frais d'hospitalisation et notes d'honoraires en Italie. Si tel n'est pas le cas, vous pourriez éventuellement contracter une assurance spéciale pour un court séjour à l'étranger.

Si votre pays est membre du Marché commun, réclamez à votre office de Sécurité sociale le formulaire E111, qui vous permettrait, le cas échéant, de vous faire soigner dans un hôpital public.

121

S

Au cas où vous devriez appeler un médecin à Rome, adressez-vous au réceptionniste de l'hôtel. Vous pouvez aussi appeler directement un des dispensaires du Service national de santé, répertoriés sous *Unità sanitario locale* dans l'annuaire. Pour les urgences, autant s'adresser immédiatement au service de premiers secours *(pronto soccorso)* de l'hôpital le plus proche.

Pharmacies. Les *farmacie* observent l'horaire habituel des commerces (voir HEURES D'OUVERTURE). Chaque quartier de la capitale compte au moins une officine de garde la nuit et le week-end. Horaires et adresses sont affichés à la porte de chaque pharmacie et publiés dans la presse.

J'ai besoin d'un médecin/d'un dentiste.	**Ho bisogno di un medico/ dentista.**
Où est la pharmacie (de garde) la plus proche?	**Dov'è la farmacia (di turno) più vicina?**
Où puis-je trouver un médecin qui parle le français?	**Dove c'è un medico che parli francese?**
J'ai mal là.	**Ho un dolore qui.**
des maux d'estomac	**il mal di stomaco**
de la fièvre	**la febbre**
une insolation/un coup de soleil	**una scottatura di sole/ un colpo di sole**

T

TOILETTES. Tous les restaurants, la plupart des boutiques et des grands magasins, les musées, les gares, les aéroports, les stations-service, les parkings, les cafés et les bars disposent de waters, qui, d'une façon générale, sont propres.

Les toilettes publiques sont d'ordinaire signalées par un pictogramme ou par le sigle WC. Lorsque l'indication est donnée en italien, ne vous y méprenez pas: *Uomini* signifie «Messieurs» et *Donne* «Dames»; mais attention aux termes *Signori,* qui s'applique aux hommes, et *Signore,* réservé aux femmes.

Où sont les toilettes?	**Dove sono i gabinetti?**

TRANSPORTS PUBLICS

Métro *(metropolitana* ou *metrò).* Rome dispose de deux lignes. La ligne A part de la via Ottaviano, près du Vatican, et se dirige au sud-est jusqu'à la via Anagnina, desservant plus d'une vingtaine de stations. Elle passe sous la plupart des monuments touristiques les plus visités. La ligne B relie la gare Termini à la station Piramide. De là, une ligne de banlieue rallie Ostia Lido toutes les 30 min. Les bouches de métro sont signalées par de grands M rouges. Quant aux tickets, ils sont en vente dans les kiosques à journaux et les débits de tabac; toutes les stations sont pourvues de distributeurs automatiques de billets.

Autobus *(autobus)*. Le réseau d'autobus orange est très étendu. Bien que les véhicules soient bondés en permanence sur certains parcours ou aux heures de pointe, ce moyen de transport n'en est pas moins très avantageux. Des plans du réseau indiquant en particulier les grandes lignes sont vendus dans les kiosques. Chaque arrêt *(Fermata)* affiche tous les numéros des autobus qui le desservent ainsi que leurs itinéraires et leurs horaires. Pour emprunter le bus, achetez votre ticket dans un kiosque ou un tabac. Entrez dans le bus par la porte arrière où vous composterez votre billet; vous quitterez le bus par la porte centrale. Les tickets de bus sont en vente à l'unité ou par carnet de dix. Si vous désirez une carte journalière ou hebdomadaire, rendez-vous dans l'un des bureaux de l'ATAC (régie des transports publics), au Largo Giovanni Montemartini ou à la piazza dei Cinquecento, tous deux aux abords de la gare Termini. Il existe aussi des titres de transport spéciaux pour touristes, valables pour des périodes déterminées, qui permettent à leurs utilisateurs de voyager librement sur le réseau. Pour se déplacer en car dans les environs de Rome, il faut s'adresser à un autre organisme: l'ACOTRAL, tél. (06) 591 55 51.

Taxis *(tassì* ou *taxi)*. On peut héler l'un de ces caractéristiques taxis jaunes dans la rue (les véhicules libres sont plutôt rares), le prendre à une station ou l'appeler par téléphone (voyez dans les pages jaunes de l'annuaire sous *Taxi)*.

Les voitures de place appliquent des tarifs raisonnables, et inférieurs à ce qui se pratique dans d'autres capitales. Assurez-vous que le taximètre est bien enclenché! Les suppléments (pour bagages, courses de nuit, jours fériés, transports entre l'aéroport et la ville) sont affichés en quatre langues à l'intérieur de chaque véhicule. Il est d'usage de laisser un pourboire (au minimum 10 %). Méfiez-vous des taxis sans compteur *(«abusivi»)*, dont les chauffeurs n'hésiteront pas à vous demander des montants exorbitants.

Radio-Taxi, tél. 35 70, 49 94, 84 33.

Calèches *(carrozza)*. Il ne reste malheureusement que quelques dizaines de ces véhicules. Hantant le plus souvent les lieux touristiques comme la place Saint-Pierre, la place d'Espagne, la fontaine de Trevi ou la via Veneto, ces calèches sont théoriquement pourvues d'un compteur. Mais mieux vaut convenir d'un prix au préalable avec le cocher.

Trains. Les chemins de fer nationaux *(Ferrovie dello Stato)* exploitent à travers tout le pays un réseau étendu et leurs tarifs sont parmi les plus

T bas d'Europe. Choisissez avec soin votre train, car la durée des trajets varie considérablement. Voici la liste des différents types de convois:

EuroCity (EC)	Rapide international avec voitures de 1re et de 2e classe; généralement avec supplément.
Intercity (IC)/ Rapido	1) Train interville très rapide; 1re classe uniquement (le prix du billet comprend la réservation obligatoire, les journaux et des rafraîchissements). 2) Train rapide avec arrêts dans les villes principales; 1re et 2e classe; supplément.
Espresso (Expr.)	Train direct pour longs parcours desservant les villes importantes.
Diretto (Dir.)	Train plus lent que l'*Espresso;* avec arrêts plus fréquents.
Locale (L)	Train local s'arrêtant presque partout.
Metropolitana (servizi dedicati)	Train reliant les aéroports ou les ports de mer et les grands centres urbains.

Vous pourrez prendre vos billets (voir aussi p. 104) et réserver vos places dans les gares et les agences de voyages. Les express comportent généralement des wagons-restaurants ou des voitures-bars.

Si vous n'avez pas réservé votre place, soyez à la gare une vingtaine de minutes avant le départ; les trains italiens sont souvent bondés.

Où est l'arrêt de bus/ la station de métro le (la) plus proche?	**Dov'è la fermata d'autobus/ la stazione della metropolitana più vicina?**
Quand part le prochain bus/ train pour...?	**Quando parte il prossimo autobus/treno per...?**
Je voudrais un billet pour...	**Vorrei un biglietto per...**
aller simple/aller et retour première/seconde classe	**andata/andata e ritorno prima/seconda classe**
Pouvez-vous me dire quand je devrai descendre?	**Può dirmi quando devo scendere?**
Où puis-je trouver un taxi?	**Dove posso trovare un taxi?**
Quel est le tarif pour...?	**Qual è la tariffa per...?**

URGENCES. Les principaux numéros d'urgence, qui répondent vingt-quatre heures sur vingt-quatre, sont:

Police (tous les cas urgents)	113
Carabinieri (voir POLICE) pour les affaires pressantes du ressort de la police judiciaire	112
Pompiers	115
Ambulance et Croix-Rouge	51 00
Permanence médicale (jour et nuit)	475 67 41
Assistance routière (ACI) et informations touristiques	116

Attention!	**Attenzione!**
Au feu!	**Incendio!**
Au secours!	**Aiuto!**
Au voleur!	**Al ladro!**

QUELQUES EXPRESSIONS UTILES

oui/non	**sì/no**
s'il vous plaît/merci	**per favore/grazie**
pardon/je vous en prie	**mi scusi/prego**
où/quand/comment	**dove/quando/come**
hier/aujourd'hui/demain	**ieri/oggi/domani**
gauche/droite	**sinistra/destra**
grand/petit	**grande/piccolo**
bon marché/cher	**buon mercato/caro**
ouvert/fermé	**aperto/chiuso**
Je ne comprends pas.	**Non capisco.**
Qu'est-ce que cela veut dire?	**Cosa significa?**
Veuillez l'écrire, s'il vous plaît.	**Lo scriva, per favore.**
Garçon!	**Senta!**
Je voudrais...	**Vorrei...**
Combien cela coûte-t-il?	**Quant'è?**

Index

Les numéros suivis d'un astérisque (*) renvoient à une carte. Lorsqu'un nom est cité à plusieurs reprises dans le guide, nous donnons généralement sa référence principale en **mi-gras.**

Albains, Monts *85*,* **90–91,** *96, 101*

Appia, Via *12, 85**

Appienne, ancienne voie *(Via Appia Antica)* *83–86, 85**

Arc
de Constantin *25*, 58*
de Septime Sévère *51*, 51*
de Titus *51*, 54*

Aurélia, Via *12, 85**

Aventin *7, 12, 24*,* **45–46,** *49*

Basilique
Æmilia *51*, 54*
Julia *51*, 54*
de Maxence *51*, 54*

Bernin, Le *18, 22, 27,* **29,** *32, 39, 62, 64, 66, 80, 82, 83*

Borromini, Francesco *22,* **29,** *40, 75, 82*

Bramante, Donato *18,* **29**

Caffè Greco *37*

Campo de' Fiori *24*,* **42,** *43, 94*

Campus Martius *27,* **54**

Capitole *(Campidoglio)* *7, 12, 22, 24*,* **28,** *29, 30, 49, 50, 93*

Caravage, Le **29,** *33, 72, 80*

Castel Gandolfo *25*, 29, 60, 85*,* **90–91**

Catacombes
de Domitille *84*
de Priscille *84*
de Saint-Calixte *84*
de Saint-Sébastien *84,* **85**

Cerveteri *69, 85*,* **91**

Chapelle Sixtine *18, 21, 29, 68,* **71–72**

Château Saint-Ange *(Castel Sant'Angelo)* *14, 24*, 32, 61,* **62–63**

Circus Maximus *25*, 33,* **56**

Cirque de Maxence *86*

Cloaca Maxima **46,** *50, 78*

Colisée *11, 22, 25*, 49,* **58,** *92*

Colonne Trajane *56*

Condotti, Via *24*, 95*

Coronari, Via dei *24*,* **40,** *92, 95*

Corso, Via del *24*, 27,* **32–34,** *93*

Curie *50–51, 51**

Domus
Augustana *56*
Aurea *14*
Flavia *56*
Severiana *56*

Eglise
Basilique Saint-Pierre *17, 18, 22, 24*,* **29,** *46, 60, 61,* **64–68,** *74, 92*
Gesù, Le *24*,* **78–79**
Saint-Jean-de-Latran *25*, 60, 74,* **75**
Saint-Paul-hors-les-Murs *24*, 29, 60, 74,* **76,** *92*
Santa Maria Maggiore *25*, 49, 60,* **74,** *92*
San Clemente *25*,* **77–78**

San Pietro in Vincoli   *25**,
   29, **78**
Sant'Agnese in Agone   *29*, **40**
Sant'Ignazio   *79*
Santa Cecilia in Trastevere
   24*, **48–49**, *85*
Santa Francesca Romana   *92*
Santa Maria dei Miracoli   *34*
Santa Maria del Popolo   *24**,
   29, **33**
Santa Maria in Aracoeli
   24*, *29*, **30–32**, *92*
Santa Maria in Cosmedin
   24*, *46*
Santa Maria in Montesanto
   34
Santa Maria in Trastevere
   24*, *47–48*
Santa Maria Sopra Minerva
   93
Santa Prassede   *25**, *78*
Santa Sabina   *24**, *45–46*
Trinità dei Monti   *34*
Escalier de la Trinité-des-Monts
   22, **34–37**, *92*
Esquilin   *12*, *14*, **49**, *50*

Flaminia, Via   *12*, *24**, *33*
Fontaine
   della Barcaccia   *34*
   Farnese   *42*
   des Quatre Fleuves   *39–40*
   des Tortues   *44*
   de Trevi   *22*, *24**, **38–39**
Foro Italico   *92*
Forum   *7*, *12*, *15*, *22*, *25**, *30*,
   49–55, *51**, *92*
Forums impériaux   *25**, *56*

Ghetto   *18*, *24**, **43–44**, *96*

Isola Tiberina   *24**, *45*

Janicule   *24**, *61*, **73**

Lapis Niger   *51*
Latina, Via   *12*
Latium   **83**, *85**, *101*

Maison
   des Vestales   *51**, *54*
   dite de Livie   *56*
Mausolée d'Auguste   *32*
Mémorial Keats-Shelley   *37*
Michel-Ange   *7*, *17*, *18*, *21*, *22*,
   27, *28*, **29**, *30*, *42*, *49*, *60*, *66*,
   71, *72*, *78*
Monument de Victor-Emmanuel
   24*, **27**, *28*
Mur d'Aurélien   *24**, *62*, *83*
Musée
   du Capitole   *28–30*
   Galerie Borghèse   *25**, *29*, *34*,
   79–80
   Galleria Doria Pamphili   *24**,
   82–83
   Galleria Nazionale d'Arte
   Antica   *25**, *82*
   Museo Nazionale Romano
   24*, *80–82*
   du Vatican   *22*, *24**, *61*, **68–73**
   Villa Giulia   *24**, *80*

Ostia Antica   *24**, *85**, **88–90**,
   93
Ostie   *85**, *90*

Palais de Domitien   *56*
Palatin   *12*, *24*–25**, *49*, *50*,
   55–56
Palazzo
   Barberini   *25**, *29*, **82**
   Chigi   *32*
   dei Conservatori   *28*
   Corsini   *24**, *82*
   Doria   *24**, *82*

Farnese 24*, 42
Lancellotti 40
Nuovo 28
Poli 38
del Quirinale 25*, 39
Savelli-Orsini 45
Senatorio 28, 30, 50
Venezia 24*, 27–28
Panthéon 14, 22, 24*, **40–42,** 52, 66, 94
Piazza
  Biscione, del 42
  Colonna 24*, 32
  Mattei 44
  Montecitorio 24*, 32
  Navona 22, 24*, **39–40,** 92
  del Popolo 24*, 29, 32, **33–34**
  della Rotonda 40
  San Pietro (St-Pierre) 24*, 29, 60, 61, **64**
  di Spagna (d'Espagne) 24*, **34–37,** 92, 93
  Venezia 24*, **27–28,** 32
Piazzale
  del Colosseo 92
  Garibaldi 24*, 73
Pincio 8, 24*, 29, **34,**
Pinturicchio, Il **29,** 32, 33, 70, 71
Pont
  du Palatin 46
  Sant'Angelo 42, **62**
Porta
  del Popolo 33–34
  Portese 94
  San Paolo 46
  San Sebastiano 83
Portico
  d'Ottavia 44
  d'Ottavia,Via del 44
Pyramide de Cestius 24*, 46

Quirinal 12, 39, 49

Raphaël 18, 22, **29,** 33, 42, 70, 72, 80, 82
Rostres 51*, 51–52

Sacra, Via 51*, 50
Stade de Domitien 56
Synagogue 44

Teatro di Marcello, Via del 27
Temple
  d'Antonin et Faustine 51*, 54
  de Castor et Pollux 51*, 54
  de César divinisé 51*, 54
  de la Fortune 46
  de Saturne 51*, 52
  de Vesta 24*, 46
  de Vesta (Forum) 51*, 54
Théâtre de Marcellus 24*, 45
Thermes
  de Caracalla 25*, 42, 49, **58–59,** 75, 93
  de Dioclétien 49, **80–81**
Tibre 8, 15, 22, 24*, 27, 32, 45, 46, 62, 85*, 88
Tivoli 14, 85*, **86–88**
Trastevere 24*, 45, **46–49,** 73, 92, 93, 96
Tritone, Via del 94

Vatican, Cité du 20, 21, 22, 24*, 29, **59–73,** 75, 85*
Veneto, Via 24*–25*, 39
Villa
  Borghèse 24*, **34,** 80, 92
  des Chevaliers de Malte 46
  d'Este 86–87
  d'Hadrien 85*, 87–88
  Médicis 24*, **34, 93**